PASCA

Le Cœur en braille

À Delphine.

Le Cœur en braille

Pascal Ruter

Pascal Ruter est né en 1966, dans la banlieue sud de Paris. Il vit actuellement dans un petit village, au milieu de la forêt de Fontainebleau, et enseigne le français dans un collège. En 2012, il publie son premier roman *Le cœur en braille* aux Éditions Didier Jeunesse.

Du même auteur :

• L'amour au subjonctif

1

Le réveil a sonné et aussitôt après j'ai entendu papa qui montait l'escalier. Il a ouvert en grand la porte de ma chambre.

— Allez, debout, c'est le grand jour !

Il m'a secoué un peu dans le lit.

— Dépêche-toi, tu vas être en retard !

Il est redescendu, bourré d'énergie. Avec les vacances, j'avais vraiment perdu l'habitude des précipitations scolaires et ce matin, rentrée ou non, j'avais du brouillard jusqu'au fond du cerveau. J'entendais papa qui s'affairait en bas pour préparer les petits déjeuners en faisant des bruits familiers qui me berçaient. J'étais prêt à replonger la tête la première dans le sommeil, quand il a hurlé :

— Tu vas te lever, ou faut commander une grue ?

J'ai sursauté et j'ai fini par risquer un pied en dehors du lit, en hésitant, comme quand on doit se jeter dans de l'eau froide, et puis j'ai attrapé à l'aveuglette un pantalon et un T-shirt ; tant pis pour la coquetterie, je me suis dit. Je pesais une tonne en descendant l'escalier.

Dans la cuisine, papa m'a fait chauffer un bol de chocolat. Une bonne odeur chaleureuse s'est répandue et le brouillard s'est un peu levé dans ma tête.

— Tu es bien prêt ? il m'a demandé pendant que je buvais.

Il levait les sourcils en accent circonflexe et, de sa main droite, semblait me faire à distance un massage du cerveau. J'ai essayé de prendre un air de maîtrise.

— Je crois que oui, mais... On sait jamais parce que... hein ?

Il a fait un brin de vaisselle et, avant de repartir se coucher, il m'a dit :

— N'oublie pas de raser ta moustache de chocolat. La tenue, c'est important !

J'ai haussé les épaules en m'installant dans le salon. Le soleil se levait à peine et la petite cour était toute claire. Quelques feuilles étaient déjà tombées et faisaient comme des papillons séchés par terre. L'heure avançait, alors j'ai été chercher mon sac. Il m'a paru tout petit et tout ratatiné, et je me suis dit qu'il ne devait pas être bien dangereux ; cette année, je n'allais pas me laisser intimider par tous les problèmes qu'il y avait à l'intérieur. J'ai fouillé dedans ; j'y ai trouvé la liste des fournitures et je me suis dit, en me pinçant les lèvres, que j'avais oublié de la donner à papa, mais qu'en même temps, de son côté, il aurait pu y penser ; ça marche comme ça, dans une équipe.

J'ai failli débouler dans sa chambre pour l'alerter, mais je me suis dit que bon… J'ai commencé à vider mon sac, pour faire une sorte de bilan, et j'y ai déniché des bouts de crayons et un des bizarres dessins du respectable Haïçam, qui représentait un pommier avec, tout autour du tronc, de grosses pommes rouges ; dans le doute, j'ai accroché le dessin au mur. Qu'avait-il voulu me dire ? En général, je ne comprends rien à ce qu'il dessine ni à ce qu'il dit. Si je lui demande des explications, je comprends encore moins. Il y avait aussi, dans ce sac, ma dernière copie de cinquième avec un 3/20 et la mention « en progrès », une photo arrachée d'un magazine représentant une femme en maillot de bain, tout mince, le maillot, et la fille aussi d'ailleurs. J'ai secoué le sac pour le vider tout à fait en me disant que l'impression de neuf, ça donne de l'espoir.

Ensuite ça m'a paru tout léger. Forcément, sans fournitures, un sac, ça perd de son utilité. J'ai quand même récupéré deux ou trois cahiers de l'année précédente qui traînaient au fond d'un tiroir.

Ma situation scolaire ne s'améliorait pas tellement, contrairement aux résolutions que j'avais prises concernant l'organisation des choses. J'ai dû régler les bretelles du sac différemment, donner du mou, parce qu'elles me sciaient les épaules. Je me suis dit que j'avais grandi et pour vérifier je me suis dirigé vers le grand miroir ; effectivement, je m'étais bien élargi, et même mon sac me semblait moins impressionnant.

J'étais content, car la carrure, au milieu d'autres choses, c'est important dans la vie.

Avant de sortir, j'ai lancé sans trop y croire : « Au revoir ! », mais effectivement papa ne m'a pas répondu. Ce n'était pas sa faute. Il avait dû rentrer très tard de la ville. Comme d'habitude, il avait fait bien attention de ne pas me réveiller, et maintenant il avait besoin de récupérer.

Il ne faisait pas trop froid, seulement un peu gris, et la Panhard était garée sur les pavés de la cour. La veille, papa avait passé la journée à régler les culbuteurs de sa voiture fétiche, et il avait eu des problèmes terribles avec les tubes de graissage. Je lui avais suggéré de désamorcer le circuit d'huile, et c'était la bonne solution. Le soir, alors que j'étais dans mon lit, papa était parti pour ses livraisons et j'avais entendu le moteur M10S ronfler comme il faut. Vraiment, c'était une berceuse de première.

Je suis arrivé au collège, et il y avait du monde partout. Je suis passé devant la loge du père d'Haïçam, mais je n'ai vu personne. Alors je suis allé rejoindre les autres élèves dans la cour de récréation, où on devait se rassembler en attendant la directrice.

10

La cour était pleine et derrière la grille il y avait des parents qui voulaient voir comment les opérations se déroulaient. Ils passaient la tête entre les barreaux qu'ils tenaient des deux mains, comme des prisonniers qui cherchent un parfum de liberté, et je me suis dit que c'était une drôle de façon de voir les choses. La directrice a commencé à nous appeler. Nous nous rangions au fur et à mesure devant notre professeur principal. Et quand une classe était complète, le professeur l'emmenait dans le bâtiment. Des trains entiers d'élèves disparaissaient ainsi, et la cour se vidait petit à petit. Je me demandais bien où pouvait être fourré Haïçam le respectable, quand j'ai senti une main se poser sur mon épaule. Je n'ai pas eu besoin de me retourner, car je savais que c'était lui.

— Respectable Égyptien, ai-je murmuré, j'espère qu'on sera dans la même classe.

— C'est arrangé.

Finalement je me suis retourné, car j'avais hâte de revoir son visage. J'ai trouvé qu'il avait encore grossi pendant les vacances. Il portait son gros ventre dans une épaisse chemise à carreaux complètement passée de mode, et un pantalon de velours beaucoup trop court qui laissait voir des chaussettes de couleurs différentes. Derrière ses éternelles lunettes cerclées d'écaille, on pouvait voir ses deux petits yeux qui souriaient. Il avait l'allure calme et tranquille de celui qui a fait le tour des choses. Je n'ai jamais compris comment Haïçam pouvait être aussi imperméable aux phénomènes de mode, mais bon, c'était son affaire. J'ai reçu un coup de coude égyptien dans les côtes.

— Victor ! Absent ? Déjà absent ? hurlait la directrice dans son mégaphone.

Ce n'était vraiment pas le moment de passer pour un déserteur ; je n'avais pas envie d'attirer l'attention sur mon cas dès le début de l'année, je préférais attendre un peu.

— Non ! Non ! Je suis là… j'ai crié en faisant de grands gestes. J'arrive, regardez, je me range !

Peu après, Haïçam est venu me rejoindre dans le rang. « C'est arrangé », il avait dit, et effectivement c'était arrangé. Je ne connaissais personne d'autre dans la classe et je me suis dit, en circulant dans les couloirs derrière notre professeur principal, que c'était peut-être mieux, si je voulais me faire oublier.

Nous nous sommes installés à nos tables et ensuite le professeur nous a demandé de remplir une fiche de renseignements, car en début d'année *on* voulait être renseigné sur nous ; je n'ai jamais bien compris pourquoi, mais enfin… Moi aussi, j'aurais bien eu envie d'être renseigné sur les professeurs, mais je n'ai jamais posé le problème, car je me disais que venant de moi ça serait considéré comme un projet louche. Pourtant ça aurait été intéressant de savoir où ils habitaient, leur famille et tout ça. Plus intéressant que beaucoup de choses.

Haïçam, à son habitude, s'était mis au dernier rang. J'avais espéré un changement dans ses façons de faire, mais apparemment non, il voulait toujours être seul au dernier rang. Il me disait souvent que c'était très important pour lui ; pendant les cours, il se mettait dans un état d'extrême concentration qui, de l'extérieur, ressemblait au sommeil ; moi, je savais que c'était du condensé de concentration, comme du sirop, mais au début de l'année les professeurs tombaient toujours dans le panneau et pensaient qu'il dormait. Il avait les yeux mi-clos, les bras croisés sur le ventre et parfois le menton sur la poitrine. Il disait que dans ces moments-là il faisait le « crocodile du Nil », il avait l'air de dormir, mais en fait il absorbait tout le cours, comme une vraie éponge. Il pouvait réagir à la moindre parole ou intonation du professeur, exactement comme le croco qui semble dormir mais peut saisir tout ce qui passe d'un coup de mâchoire.

L'année dernière, le professeur de mathématiques avait écrit au tableau une démonstration à coucher dehors avec des genres de racines partout et des formules de science-fiction dans tous les sens. Pendant qu'il s'agitait, d'un bout à l'autre du tableau, mon respectable Égyptien s'était tenu tranquille à sa façon, à somnoler paresseusement sans rien écrire, le menton posé sur la poitrine. Puis il avait levé une paupière, et très respectueusement il avait demandé la parole :

— Sans vous offenser, monsieur, je crois qu'on peut faire plus simple.

Il s'était dirigé doucement vers le tableau, avait pris un bout de craie et on sentait tous que c'était une ambiance de miracle. Dans un petit coin du tableau il avait écrit une seule petite ligne toute pure et le professeur avait ouvert de grands yeux, comme devant une porte ouverte sur l'infini.

— Vous avez parfaitement raison, il avait dit d'une petite voix désolée et admirative en même temps.

Ensuite il s'était mis en congé maladie, sans doute pour faire le point sur un certain nombre de choses.

Pour la fiche de renseignements, je me suis demandé ce que je pouvais répondre à la rubrique « profession du père ». J'ai inscrit « acheteur », car je me suis dit que ce devait être ce qui correspondait le mieux. Il vendait aussi, remarquez, mais je me suis dit qu'« acheteur », c'était plus mystérieux, et plus noble surtout. Ensuite mon esprit a un peu bifurqué. Est-ce que papa avait bien réservé un jeu de 0,15 à l'admission et à l'échappement de la Panhard ? Sinon ses culbuteurs risquaient de ne pas marcher longtemps. Ça m'a tracassé un moment et j'ai loupé ce que le professeur disait.

*
* *

À la fin de la matinée, j'ai retrouvé Haïçam dans la cour. Ses épaisses lunettes cerclées d'écaille lui donnaient l'air d'une grosse chouette. Nous nous sommes dirigés vers la loge de son père, d'un pas très lent, car Haïçam marchait toujours très lentement – le respectable Haïçam, comme je l'appelais. Car il se présentait toujours de la même façon, comme s'il avait avalé un disque enregistré : « Haïçam, c'est un nom égyptien qui mérite le respect. »

Son père l'attendait devant un échiquier, et à côté de l'échiquier il y avait une pyramide de loukoums transparents. Mon camarade, c'était le genre philosophe, et il m'avait dit un jour que selon lui les pyramides égyptiennes étaient bien la preuve que les peuples sont incorrigibles, que leur disposition naturelle est de se décourager et d'en faire de moins en moins. Sur le coup je n'ai pas bien compris, alors le soir j'avais demandé à papa, qui avait commencé par s'étrangler de rire ; puis il m'avait conseillé de me méfier, parce que, sûrement, Haïçam devait être du genre pessimiste. J'avais regardé dans le dictionnaire que papa m'avait offert pour m'inciter aux études et j'avais trouvé :

Pessimisme : *Tendance à penser que tout va ou ira mal.*

Enfin, toujours est-il que ce jour-là je les ai regardés jouer aux échecs quelque temps pendant que le collège se vidait et que mon estomac se tapissait de loukoums. Haïçam avait des gestes très lents et cérémonieux qui ressemblaient à ceux d'un magicien. Sur les lèvres très fines de son père se dessinait un perpétuel petit sourire. Ils ne se parlaient presque

15

jamais. Mon cher camarade prenait un loukoum entre chaque coup joué et mâchouillait mollement en attendant la réaction de son père. Du sucre glace tombait sur sa chemise à carreaux et flottait un temps au-dessus de l'échiquier. C'était comme une grande paix, silencieuse et complice, protégée par ce petit nuage sucré.

J'aimais bien être le dernier à sortir du collège, à y entrer aussi d'ailleurs, et Lucky Luke n'y comprenait rien. C'est Haïçam qui avait mis le doigt sur la ressemblance entre le conseiller d'éducation et Lucky Luke ; un Lucky Luke breton. Parfois quelqu'un passait la tête dans la loge et demandait un renseignement au père d'Haïçam, qui répondait d'un geste vague. Plusieurs mystères entouraient mon cher camarade : comment Haïçam pouvait-il être si gros et son père si mince ? Et pourquoi mon camarade portait-il un nom égyptien alors que son père était turc ? Et aussi, surtout, pourquoi mon noble Égyptien faisait-il shabbat, vu que c'est pas un truc tellement égyptien, ni turc d'ailleurs ? Il y avait beaucoup de choses sur mon copain Haïçam que je ne comprenais pas. Parfois je cherchais dans le dictionnaire que m'avait offert mon père, mais même là-dedans je ne trouvais pas toujours les réponses. Alors, en les regardant jouer aux échecs, je me gavais de loukoums.

Loukoum : « *Repos de la gorge* ». *Confiserie orientale faite d'une pâte aromatisée enrobée de sucre en fine poudre.*

— Alors, ça s'est passé comment ? m'a demandé mon père en sortant son museau plein de cambouis du moteur de la Panhard. Tu t'es pas fait remarquer ?

J'ai soupiré.

— Pas encore…

Il fronçait les sourcils avec méfiance. À la fin de l'année précédente, il avait promis aux autorités du collège, et en particulier à Lucky Luke, de m'avoir à l'œil. Pour m'encourager, il m'avait acheté *Les Trois Mousquetaires* de M. Alexandre Dumas et le dictionnaire dont j'ai déjà parlé. Je lui ai demandé :

— Tu as pensé à laisser un jeu de 0,15 à l'admission et à l'échappement hier ? Sinon tes culbuteurs vont morfler.

Il a haussé les épaules en essuyant ses outils.

— Dis-moi, papa…

— Oui.

— Tu crois qu'il a mis combien de temps, M. Alexandre Dumas, pour écrire *Les Trois Mousquetaires* ?

— Je ne sais pas…

— Toute une année ?

— Peut-être… mais je crois qu'il a mis plus de temps.

— Trois années, tu crois ? Une année par mousquetaire, je pense.

— C'est possible.

— Encore un truc, papa…

Il s'est assis sur la banquette avant de la Panhard.

— Oui… attends, je m'assois, si c'est un coup
tordu…

— Je voudrais savoir… Tu étais fort à l'école, toi,
autrefois ?

Il a eu l'air rassuré et ultra important. Il souriait,
les yeux dans le vague. Il semblait fouiller dans ses
souvenirs et de la main droite frottait doucement son
menton, comme s'il cherchait à en faire surgir des
étincelles du passé.

— Oui, super fortiche !

— Dans quelles matières ?

— Dans toutes.

Il avait un drôle de sourire, fier et en même temps
un peu triste derrière le pare-brise qui déformait légèrement son visage.

J'avais quand même des doutes, à cause du devoir
paternel, qui est de donner l'exemple. Je suis rentré
dans la maison en me disant que pour *Les Trois
Mousquetaires* et Alexandre Dumas je penserais à
demander à Haïçam le respectable. J'ai bu un verre
d'eau avant de monter dans ma chambre sous les
toits. Ensuite j'ai vidé mon cartable pour ranger les
nouveaux manuels sur une étagère installée exprès.
J'ai collé au mur mon emploi du temps de la semaine,

car en cinquième j'avais eu un mal de chien à le retenir, je confondais les matières, les jours, les heures et je n'apportais jamais le bon matériel. Pour finir, j'ai couvert mes cahiers après avoir inscrit sur la première page la matière et le professeur concerné. Ça m'a pris du temps, mais ça avait une allure ripolinée bien engageante et j'ai considéré qu'il s'agissait déjà d'un progrès. Un progrès de méthode. Et la méthode, on peut faire tous les discours qu'on veut, c'est important.

Je suis redescendu dans le petit salon et j'ai demandé à papa si on pouvait se préparer du riz à l'égyptienne selon la recette que m'avait donnée Haïçam. Pendant le repas, il m'a demandé d'un air très sérieux qui m'a fait peur :

— Alors, mon garçon, est-ce que tes professeurs te plaisent cette année ?

Je voyais qu'il avait à cœur d'honorer sa promesse à Lucky Luke et qu'il voulait s'assurer que je partais sur de bons rails dès le début de l'année. J'ai fait un oui franc de la tête pour le rassurer.

— Vois-tu, mon garçon, une année scolaire, ça se joue surtout au début. Tout est dans le départ. Pas trop brusque, mais vif tout de même. Évidemment, faut faire gaff… attention à ne pas s'essouffler trop tôt.

Il m'a posé une main sur l'épaule.

— La vie, mon vieux, c'est une étape de montagne, et pas un contre-la-montre. Souviens-toi bien de ça.

Où avait-il pu apprendre ces vérités ? Il avait l'air de virer à la manie symbolique, lui aussi.

— Il y a trop de côtes pour moi, ça dérape de partout et le vélo, tu sais, papa, ça fait mal aux fesses. Alors sans te vexer, pour m'encourager et m'apprendre la vie, faut trouver autre chose.

Nous avons débarrassé la table et nous nous sommes installés face à face sur deux fauteuils profonds et déglingués. J'ai commencé, car la veille j'avais perdu :

— La date du premier brevet Panhard & Levassor de la suspension du mécanisme par trois points ?

Il a réfléchi quelques secondes et a haussé les épaules.

— Facile : 14 janvier 1901. À moi : la première utilisation d'un radiateur sur une Panhard, quelle année ?

J'ai fermé les yeux pour mieux réfléchir. Premier radiateur… premier radiateur…

— Je l'ai : 1897. Et même : sur le Paris-Dieppe.

Mon père a sifflé d'admiration, et il s'est levé car il avait du travail.

— C'est quand même incroyable que tu puisses retenir le manuel Krebs par cœur alors que…

Je voyais où il allait en venir, et même s'il avait raison, c'était pas une raison.

— J'ai compris, papa, arrête, parce que voilà, hein.

— Tu te souviens quand tu croyais que Nelson Mandela était l'avant-centre de l'AJ Auxerre ?

— Te moque pas.

On a ri comme ça avec les souvenirs qu'on s'envoyait comme des bulles de savon.

— Demain, tu verras, je t'en prépare une énorme, il m'a dit en brandissant le manuel Krebs, tu trouveras jamais.

— Moi aussi. Et toi non plus.

Dans ma chambre, j'ai jeté un coup d'œil à l'emploi du temps collé au mur et ça m'a un peu déprimé. J'ai remarqué que le lendemain je commençais à 8 h 30. J'ai repensé à ce que m'avait dit mon père : « Tout est dans le départ. Pas trop brusque, mais vif tout de même. » Sur la table de chevet, j'ai vu le livre de M. Alexandre Dumas. Sûrement, je mettrais plus de temps à le lire que lui à l'écrire. J'en étais à la page 4. J'ai préféré lire quelques pages du manuel Krebs, qui est une sorte de bible sur les Panhard, car je voulais à tout prix coller papa.

2

$$x - 2(4x + 1) = 4(2 - x) + 2$$

Ça, je peux dire que ça a été mon premier problème de l'année. Pas le seul, mais le premier. J'ai cherché dans ce que j'avais fait l'année précédente, mais vraiment rien. Je me suis retourné vers Haïçam, qui avait déjà posé son stylo-plume. Je me suis demandé si, pour une fois, il ignorait la réponse, mais évidemment il avait déjà terminé, grâce au mystérieux turbo qu'il avait dans le cerveau. Je lui ai jeté un regard désespéré et il a simplement levé sa grosse paluche à quelques centimètres de la table. C'est un signe d'encouragement chez lui, du style : t'en fais pas, ça va s'arranger, même mal, mais ça va s'arranger. C'est vrai que j'étais plutôt inquiet, rapport à mes lacunes et mes ignorances.

J'ai regardé la prof de math à la dérobée, sa démarche faisait un drôle de bruit, parce qu'elle boitait et parfois se déplaçait même grâce à deux béquilles, avec lesquelles on aurait dit qu'elle tricotait le temps ; et Haïçam qui connaît tout m'avait dit qu'elle était très malheureuse car elle avait perdu un bébé il y a longtemps. Moi, je me disais que c'était sûrement pour ça que maintenant elle donnait aux élèves des équations. Un jour j'avais demandé à Haïçam s'il croyait qu'elle portait encore son bébé mort dans sa jambe droite. Il m'avait alors regardé d'un drôle d'air, la bouche grande ouverte, ce qui est signe chez lui de grande réflexion, et il m'avait mis la main sur l'épaule.

— Peut-être qu'il y a encore un peu d'espoir avec toi, mon vieux.

Il avait l'air véritablement impressionné par ma remarque, et même admiratif, et c'est à partir de ce moment-là qu'il m'a pris un peu au sérieux. Et j'ai trouvé que c'était extra de se voir important dans ses yeux.

J'ai fait semblant d'écrire en tâchant de passer inaperçu. Heureusement, la cloche a sonné.

C'était la fin de la journée et Haïçam prenait son temps pour ranger ses affaires dans son casier. J'ai traîné un peu, et comme il n'arrivait toujours pas, je suis entré dans la loge de son père. Ce jour-là, il s'était coiffé de son superbe fez rouge qui lui donnait une extraordinaire allure de seigneur des temps anciens. Un petit gland doré qui m'hypnotisait pendait à l'extrémité d'un ruban de velours fixé au sommet du fez.

J'ai profité du retard de mon respectable Égyptien pour tenter d'élucider certains mystères qui m'intriguaient.

— Monsieur, ai-je demandé, est-ce que vous pouvez enfin me dire pourquoi vous avez donné un prénom égyptien à Haïçam, enfin avant qu'il s'appelle Haïçam bien sûr, alors que vous êtes turc ? Et aussi je voudrais bien savoir pourquoi vous faites shabbat le vendredi soir ?

— Tu veux qu'on le fasse quand ? Le mercredi matin ? Ou le lundi après-midi ?

Il souriait, je voyais bien qu'il se moquait.

— Je veux dire que c'est pas tellement turc, ça, le shabbat, comme façon de faire, ni égyptien…

Il a levé une main dans un geste un peu mou qui me rappelait celui d'Haïçam.

— Va savoir ! Va savoir !…

Haïçam est enfin arrivé. Je lui ai demandé de m'expliquer les mathématiques, car vraiment… les équations… ! On s'est installés au fond de la loge pour ne pas être dérangés.

— Qu'est-ce que tu veux savoir ? m'a-t-il demandé.

Il avait l'air très calme.

— Eh bien, je veux savoir comment on fait avec cette saloperie de $x - 2(4x + 1) = 4(2 - x) + 2$. C'est pas pour critiquer la science, mais quand même, bon.

— Ce n'est pas très compliqué. Commence par développer.

Il a fourré dans sa bouche un énorme loukoum qu'il s'est mis à mâcher avec application en me regardant bizarrement. J'ai demandé :

— Développer quoi ?

— Eh bien, l'équation évidemment. Qu'est-ce que tu veux développer d'autre ?

— Je comprends pas.

— Bon. Tu supprimes les parenthèses et ça te donne : $x - 8x - 2 = 8 - 4x + 2$. Tu es d'accord ?

J'ai haussé les épaules.

— Ensuite je m'y prends comment ? C'est pas déjà terminé quand même ?

— Mais non, triple buse. Tu passes les x à gauche et le reste à droite.

— D'accord : ça donne, ça donne… $x - 8x + 4x = 8 + 2 + 2$.

— Eh bien voilà… alors maintenant, qu'est-ce qu'on fait ?

— Je sais pas, moi, on pourrait aller faire un foot !

Il a failli s'étouffer avec son loukoum, il avait du sucre glace qui lui remontait dans les yeux par l'intérieur, on aurait dit deux petites boules à neige.

— Mais non, crétin, ton problème n'est pas terminé. C'est la valeur de x qu'il faut trouver !

Les larmes me sont montées aux yeux. J'ai repensé à papa qui m'avait offert *Les Trois Mousquetaires*, qui

26

était super fortiche en classe du temps de sa jeunesse, qui s'était fait remonter les bretelles par Lucky Luke et qui faisait tout pour me surveiller à peu près... et moi, j'étais KO au premier x de l'année.

— Bon, a repris Haïçam calmement, il te faut réduire. Alors réduis.

— Bon, je réduis, je réduis, en bouillie même... Voilà, je trouve $-3x = 12$.

— Il te reste à diviser par 3 !

— Évidemment... Ouh ! Mais ça m'a l'air d'avoir une drôle de gueule : $x = 12 : -3$... J'ai dû me gourer quelque part...

— Non, c'est bon, c'est-à-dire que $x = -4$. Ça te va comme ça ?

— Franchement, je vois pas exactement à quoi ça sert, mais ça me va. Par contre je sais pas si j'arriverai à le refaire tout seul. Je peux pas te le garantir.

— Je me demande comment tu feras quand il y aura plusieurs inconnues, a-t-il dit en gobant un autre cube sucré.

— Parce que ça existe ?

— Tout existe en mathématiques...

— Comment tu as appris tout ça, toi ?

— Moi, c'est pas pareil. Je n'ai pas de mérite : les Égyptiens ont toujours été de très grands mathématiciens.

— Et les Turcs qui font shabbat ?

— Les Turcs aussi. Même ceux qui font pas shabbat.

*
* *

La semaine suivante, les choses se sont compliquées, et j'ai remarqué que c'est une tendance naturelle des choses, la complication. D'abord le prof d'histoire-géographie s'est mis en rogne contre moi en rendant les copies parce qu'à la question du contrôle qui demandait des renseignements sur le climat de Nice j'avais répondu que dans cette région « il y a de la neige et parfois marée basse ». Moi, je me comprenais, mais j'étais bien le seul. Toute la classe a éclaté de rire, surtout un groupe de filles aux fesses pincées qui quand elles rient ont l'air de réciter un théorème de mathématiques. Ces filles, je suis sûr que quand elles pètent ça pue pas. Même Haïçam a souri, mais lui, c'était la tendresse camarade. J'avais oublié de réviser les choses du climat à cause des axes de pistons. Papa voulait remplacer le modèle 4 gorges à segments par des 5 gorges ; il avait fallu tout démonter et enlever les axes chromés. On avait bien regardé dans le manuel Krebs que j'étais allé chercher dans ma chambre et on avait vu qu'il fallait modifier la tête de bielle pour éviter le grippage des pistons, avec les conséquences que vous savez. Enfin tout ça pour expliquer que le climat de Nice, je l'avais oublié. Pourtant je n'ai rien contre la géographie, le père de mon respectable Égyptien m'avait montré sur une carte où se trouve l'Égypte et j'avais vu que dans ce pays il y a de l'eau partout sauf où c'est le désert.

— Et la Turquie ? je lui avais demandé.

Il avait pointé un doigt très précis sur la carte accrochée au mur. Son ongle poli comme une perle avait fait un petit bruit sec.

— C'est là, la Turquie. Exactement là.

— Tiens, c'est drôle, je croyais que c'était l'Inde.

Pendant la récréation, après le cours de géographie, je me suis tenu tout seul pour réfléchir à ce que papa allait dire et à comment j'allais pouvoir me justifier. Je regardais les ballons rayer le ciel en me disant que je n'étais finalement peut-être pas fait pour les études. J'ai eu l'impression que les filles de la classe se moquaient de moi, car elles regardaient le ciel et demandaient à voix haute : « Je me demande bien quand il va neiger… » Et puis elles pouffaient avec leur cul serré. Haïçam avait disparu et je ne savais pas où trouver du soutien. J'ai repensé à la colle de mon père : « Lors du Paris-Berlin de 1901, quelles innovations trouve-t-on sur les Panhard ? » Même dans le manuel Krebs je n'avais pas trouvé.

J'étais bien découragé et je refusais toutes les invitations à venir jouer pour continuer à faire le point, qui est une activité importante de l'existence. Je voyais déjà papa dans le bureau de la directrice et Lucky Luke en train de lui passer un savon, et ça, je voulais à tout prix l'éviter, à cause de la protection des sentiments paternels. J'ai repensé aussi à M. Alexandre Dumas, qui, sans même nous connaître, s'était donné du mal pour nous distraire et nous apprendre plein de choses historiques ; et je me suis juré de lire au moins vingt pages des *Trois Mousquetaires* dans la soirée ; puis je suis descendu à quinze, parce qu'il faut savoir doser ses efforts et ne pas s'essouffler.

La cloche a sonné la fin de la récréation et je ne savais pas si c'était bon ou mauvais signe. Plein de doutes, je me suis rangé pour attendre notre prof de sport. J'ai pensé à papa et à son passé scolaire pour me donner du courage. Le sport allait me remettre sur les rails.

Une demi-heure plus tard, j'étais en mesure de dire que le sport ne me portait pas plus chance que le climat de Nice. Je me retrouvais face à Lucky Luke, dans son bureau. Il se tenait debout, les jambes un peu écartées, genre duel, et j'avais l'impression qu'il allait dégainer et me planter un drapeau de cancre entre les deux yeux.

— Je croyais pourtant que les choses étaient claires et avaient été mises au point… n'est-ce pas… Je croyais que tu avais pris des résolutions… que tu avais de bonnes intentions…

— Oui… mais non !

Quoi, oui mais non ?

— Eh bien, je veux dire que j'avais des résolutions, et aussi des intentions, mais les mots, ça part tout seul, souvent…

30

— Bon, résumons… Le prof de sport vous fait mettre en file…

— Oui, et il va chercher les clés du gymnase…

— Et vous l'attendez tous bien en rang ?

— Oui, monsieur, on l'attend. C'est exactement comme vous dites…

— Et c'est ce moment-là que tu choisis pour te faire remarquer… Tu peux me répéter ce que tu as dit alors, à haute voix ?

Je me suis gratté le menton, parce que, vraiment, c'était la solitude ennemie. Je me suis demandé ce qu'aurait fait d'Artagnan à ma place.

— Vous voulez que je répète…

— Oui…

— Si c'est pour me faire honte, ce n'est pas bien de votre part…

— Répète ou j'appelle ton père !

Il a fait mine de se saisir du téléphone et de chercher un numéro. Je me suis dit que c'était la panique, parce qu'il avait compris comment me tenir.

— Alors je répète ?

— Oui.

— Bon, alors on était dans la file et on attendait. D'un seul coup il s'est mis à pleuvoir. Vous savez, monsieur Luck… monsieur Guénolé, ces grosses gouttes d'été qui ressemblent à des mouches qui viennent cogner contre les carreaux encore secs…

— Épargne-moi tes talents littéraires…

— C'est important, pourtant, la littérature, monsieur…

— Je m'en fous, je veux que tu répètes ce que tu as dit dans la file…

— Vous avez lu *Les Trois Mousquetaires* d'Alexandre Dumas, monsieur ?

— Non, je n'ai pas lu *Les Trois Mousquetaires*… Pourquoi ? Tu l'as lu, toi ?

— Oui… enfin presque… Vous savez que M. Alexandre Dumas a mis trois années complètes pour écrire ce livre, une par mousquetaire…

— Non, je ne savais pas…

Soudain, il a paru revenir à lui.

— Bon. Alors ? Je veux savoir ce que tu as dit dans la file…

— Ce que j'ai dit ? Vous y tenez vraiment ? Bon, eh bien, dans la file j'ai dit : « Alors qu'est-ce qu'on fait maintenant, on s' tripote ? »

Il est resté sans voix quelques secondes, c'était comme si la phrase mettait du temps pour lui parvenir. J'ai eu l'impression qu'il allait sourire, ou se mettre à pleurer, j'hésitais.

— Tu me désoles, mon garçon, tu me désoles, pourtant tu n'es pas un mauvais bougre…

— Non, monsieur…

— Tu peux réussir…

— Sûrement, monsieur. C'est surtout une question de méthode, d'après les spécialistes.

— Tu as envie de faire plaisir à ton père ?

Le salaud.

D'un seul coup ça a été le miracle, je me suis souvenu du journal local dans lequel papa enroulait ses outils pleins de cambouis. Botte secrète. Une esquive digne de d'Artagnan contre Jussac.

— Dites-moi, monsieur, je change de sujet, mais bravo pour la course de dimanche. J'ai bien cru que le peloton allait vous rattraper, mais vous aviez encore de la ressource…

Il était touché. Exactement comme Biscarat avec son épée dans la cuisse, sauf que lui c'était d'un guidon dans le cœur. En effet, Lucky Luke était également un champion cycliste dans sa catégorie de senior, et son temps libre, il le passait sur une selle. C'était drôle de penser qu'il devait avoir toujours mal au cul.

Il m'a regardé d'un drôle d'air, un peu méfiant.

— Tu y étais ?

— Oui, j'ai dit, en faisant un effort pour me souvenir de ce qu'il y avait marqué dans le journal, et je peux vous dire qu'une échappée comme ça, je n'en avais jamais vu. Même sur le Tour de France, je n'avais jamais vu ça. Moi, à mon avis, vous auriez pu devenir professionnel, un vrai champion.

— Peut-être, mais il fallait se charger… je n'ai jamais voulu : la santé avant tout !

— Vous avez eu raison… La santé, c'est important… Moi, je crois que l'essentiel dans une course, c'est de ne pas partir trop vite, pour ne pas s'essouffler… Comme pour une année scolaire… (J'espérais qu'il apprécierait le rapprochement.) Je peux y aller maintenant, parce qu'il va faire nuit…

— Plus d'histoires à présent, je ne veux plus entendre parler de toi. Plus de grossièretés de ce tonneau. Sinon j'appelle ton père et il ne sera pas content.

— Ça, non.

Je suis sorti de son bureau, mais avec ces histoires j'avais manqué le car scolaire. De loin j'ai vu Haïçam et son père, qui dans la loge se préparaient à entamer une partie d'échecs. J'ai eu envie d'aller les contempler en me gavant de loukoums pour ne plus penser à rien ; les échecs, c'est ce qu'on fait de mieux pour ça, mais je me suis dit qu'il valait mieux que je rentre, car je m'étais suffisamment fait remarquer pour la journée. Le respectable Égyptien m'a aperçu et il a levé sa grosse main pour me saluer. Ses lunettes cerclées d'écaille sombre lui donnaient toujours l'air d'une grosse chouette tranquille. Éternellement apaisée.

*
* *

J'ai fait le chemin à pied tandis que le soleil commençait à tomber derrière les arbres. J'ai suivi le petit bois qui longeait la route. C'est là, au milieu des arbres, que notre professeur de SVT entretenait un petit étang où il observait des têtards et des grenouilles. L'année d'avant, je n'avais rien trouvé de mieux à faire que d'y verser du produit vaisselle, ce qui avait tué certaines des grenouilles, qu'on avait retrouvées le ventre à l'air, et nui au développement des autres ; ce n'était pas du tout dans mon intention, l'homicide batracien ; c'est ce que j'avais juré à Lucky Luke, mais il ne m'avait cru qu'à moitié ; pour me rattraper, et prouver mon amour de la nature, j'avais dû curer l'étang pendant la moitié des vacances d'hiver. Finalement, dans l'année, M. Dubois nous a fait quand même étudier les réflexes chez les grenouilles : il en a écartelé une et lui a fixé des électrodes partout : c'était bien la peine de me faire la leçon sur le respect de la grenouille et l'amour des bêtes en général, voilà.

Ensuite j'ai descendu la côte et j'ai dépassé les grosses maisons à l'entrée du village. C'est juste avant l'église que je suis tombé sur une des filles de la classe. Marie… Marie quelque chose… je ne me souvenais plus. Je me suis demandé si je n'allais pas faire demi-tour, car vraiment… Mais comme elle se dirigeait également vers le village et que j'étais déjà suffisamment en retard comme ça, je me suis contenté de ralentir l'allure pour éviter de la rattraper. C'est elle qui a fini par se retourner ; quand elle m'a vu, au lieu de déguerpir comme je le pensais, elle s'est arrêtée et m'a fait un signe de la main. Moi, j'étais coincé.

— Tu crois qu'il va neiger aujourd'hui ? m'a-t-elle demandé.

— Oh ! ça va, ça va ! Ça t'arrive jamais, toi, de dire des conn… âneries ?

Elle a semblé réfléchir, comme si elle soupesait sa réponse.

— Eh bien, non, ça ne m'arrive jamais.

Ça n'avait pas l'air de la rendre très joyeuse.

— Et puis c'est à cause des axes de pistons de papa, mais évidemment tu ne peux pas comprendre.

— Tu crois ?

Un truc me trottait en boucle dans la tête… Son prénom… Marie… Marie… Marie quoi, déjà ?

— C'est sûr, crois-moi, j'ai fini par répondre.

J'avais pris un air sérieux pour dire ça, car sur cette question au moins j'étais sûr de ne pas me tromper et d'exercer un genre d'autorité. J'avais tort, là encore, d'ailleurs, mais vous verrez plus tard. Pendant quelques minutes nous n'avons rien trouvé à nous dire. Mon esprit vagabondait un peu à la recherche de son prénom… Je l'avais sur le bout de la langue, mais il m'échappait sans arrêt. Je la regardais à la dérobée. Elle avait des cheveux qui tiraient sur le roux, super bouclés et qui lui masquaient une partie du visage en volant dans tous les sens. Elle semblait aussi soignée qu'une poupée japonaise et j'ai pensé que ça faisait trois jours que je ne m'étais pas douché. Je me suis juré de me récurer à fond le soir même, à cause de l'estime de soi. Je me suis

36

demandé ce que je pouvais lui dire pour l'impressionner un peu, car l'histoire de Nice m'enquiquinait et j'ai ma dignité. D'un seul coup une idée m'est venue :

— J'ai une question à te poser... Tu as déjà lu des livres d'Alexandre Dumas ?

— Père ou fils ?

— Comment ça, père ou fils ?

— Alexandre Dumas *père*, ou Alexandre Dumas *fils* ?

Je n'y comprenais rien, les choses se compliquaient encore une fois, je me suis dit que je m'informerais plus tard et qu'il valait mieux changer de sujet de conversation. J'ai cherché un domaine sans trop de danger pour moi. Mon regard est tombé sur sa main droite. Elle portait une grosse bague, alors j'ai remarqué pour la flatter :

— Tu as une superbe hémorroïde au doigt. C'est une vraie ?

Je n'ai pas tout de suite compris pourquoi elle me regardait comme un extraterrestre. Elle ne savait plus trop quoi dire, comme si on ne parlait pas la même langue. J'ai réagi :

— Ça a l'air de t'intéresser, toi, les choses de l'esprit.

Elle a paru un peu déstabilisée par ce nouveau changement de cap et a froncé les sourcils. Elle devait se demander si je ne cherchais pas à l'entourlouper ou quelque chose comme ça.

— Pourquoi, pas toi ?

J'avais mis le doigt dessus. Son prénom : Marie-José.

— Si, ai-je répondu avec le plus de conviction possible, moi aussi, ça m'intéresse. Mais pas tous les jours.

— Moi, par exemple, j'ai trouvé le cours de SVT sur les yeux très instructif.

Elle semblait songeuse, presque lointaine. Elle continuait, comme pour elle-même :

— C'est fou ce qui se passe dans l'iris et la cornée…

— Tu as vu, j'ai demandé, quand il a expliqué comment on devenait aveugle à cause de cette salop… cette saleté de cornée…

On arrivait devant la boulangerie et je me suis rendu compte que le soleil avait disparu et qu'un léger voile d'obscurité commençait à nous envelopper. Brusquement elle s'est arrêtée, s'est tournée vers moi, puis elle a dit avec un sourire dans la voix :

— Quand on est aveugle, on ne peut plus voir la neige à Nice, ni savoir si c'est marée basse ou non. C'est embêtant pour toi qui aimes cette région et son climat…

Elle m'a tourné le dos ; on s'est quittés là-dessus. Et pour moi, c'était l'humiliation.

Humiliation . *État, sentiment de celui qui est humilié. Voir Mortification. Ce qui blesse l'amour-propre.*

Dans cette définition il y avait au moins deux mots que je ne comprenais pas ; s'il faut être un spécialiste pour comprendre une définition, alors ce n'est plus la peine.

*
* *

Quand je suis arrivé à la maison, j'ai demandé à papa, car tout de même ça me travaillait :

— Papa, sérieusement, est-ce que tu savais qu'il y avait *deux* Alexandre Dumas ?

Il a levé le nez de *L'Intermédiaire des chercheurs et des curieux* dans lequel il était plongé.

— Oui, le père et le fils.

J'ai poussé un grand soupir douloureux.

— Pourquoi est-ce que tu soupires comme ça ?

— Eh bien, je réalise que beaucoup de gens savent des tas de choses que j'ignore complètement... En rentrant du collège j'ai rencontré une fille de la classe qui savait déjà qu'il y avait deux Alexandre Dumas. Je n'oserai plus jamais lui parler des *Trois Mousquetaires*, je suis sûr qu'elle l'a déjà lu plusieurs fois. Et Haïçam, il doit savoir ça depuis des années... Au fait, pourquoi est-ce qu'Alexandre Dumas a donné à son fils le même prénom que le sien ?

— Je n'en sais rien, moi. Peut-être qu'il voulait qu'il écrive des livres comme lui, alors il a pensé que son prénom lui porterait bonheur.

— C'est une drôle de coutume. Celui qui a écrit *Les Trois Mousquetaires*, c'est le père ou le fils ?

— Le père.

— Je me disais aussi…

— Quoi donc ?

— Je me disais que ça ressemble plutôt au livre d'un père qu'à celui d'un fils.

La nuit tombait dans la maison et je me demandais comment il pouvait encore prendre des notes dans *L'Intermédiaire*, où c'est écrit si petit. J'ai allumé une lampe posée sur le buffet et j'ai commencé à ouvrir mon cartable pour sortir mes affaires.

— … Parce que les livres de son fils, à Alexandre Dumas, ils doivent être moins réussis, moins instructifs. Qu'est-ce qu'il a écrit d'ailleurs… ?

— Je ne me souviens plus. Quelque chose comme *La Tulipe noire*, je crois, et aussi *La Dame aux camélias*, qui est une belle histoire de femme avec des fleurs, amoureuse et malade en même temps.

Ensuite j'ai regardé papa se replonger dans *L'Intermédiaire des chercheurs et des curieux*, qui était une petite revue d'annonces qu'il avait créée, et qui permettait aux collectionneurs de tout poil d'entrer en contact les uns avec les autres. Mais là où j'admirais papa, c'est qu'il se servait aussi de sa petite revue pour proposer, à certains de ces amateurs de vieilles choses, les marchandises qui pouvaient les satisfaire. Il possédait dans la grande ville une sorte d'entrepôt dans lequel il gardait quantité de vieilleries en attente de livraison. C'était « le Canada », qu'il avait repris de mon grand-père. Un lieu qui avait pris dans mon esprit la dimension fabuleuse d'un pays légendaire. Je n'y avais jamais mis les pieds, et je ne savais même pas pourquoi papa appelait cet endroit le Canada. Mais ce que je savais, c'est que le jour où je découvrirais cet endroit, une nouvelle partie de ma vie commencerait.

— Papa ?

Il a levé le nez de sa revue. Il avait de beaux yeux bleus un peu mouillés et je me demandais toujours s'il n'était pas au bord des larmes.

— Oui ?

— Ton père à toi, il faisait comme toi avec moi aujourd'hui ? Il surveillait ton développement scolaire ?

Il a rebouché son stylo et m'a regardé avec un air plein de sensibilité, il a dessiné un long spaghetti dans les airs.

— Il était arrivé de Pologne juste avant la guerre, et une fois la paix revenue il a commencé par vendre de vieux métaux… Quand ça a commencé à marcher, il s'est trouvé beaucoup trop occupé avec le Canada pour me suivre de près…

— Alors tu es devenu super fortiche tout seul ?

Il a fait oui de la tête en retenant son souffle, et c'était la totale admiration.

— Papa, dis-moi, tu l'aimais beaucoup, ton père ?

Il a eu comme un sourire gêné, à cause des choses de la pudeur, il a débouché son stylo et je me suis dit qu'il allait m'échapper comme un poisson qui se décroche de l'hameçon.

— Je ne sais pas si je l'ai bien connu… Et aujourd'hui, quand j'y pense, je me demande s'il a vraiment existé. Tu crois qu'on arrive à se connaître, entre père et fils ?

Il avait un drôle de regard sérieux. C'était une grande ambiance solennelle, avec comme des orages philosophiques en suspension.

— Oui, papa, nous, on se connaît quand même, non ? Et mon copain Haïçam, son père, il le connaît aussi bien que son échiquier…

Il a réfléchi quelques secondes. Il semblait remonter le temps incroyablement.

— Oui, tu as raison, on se connaît, nous, on se connaît.

Il n'avait pas l'air persuadé.

— J'ai encore deux questions, mais c'est moins important.

— Bon, vas-y.

— Eh bien, pour commencer, je me demande bien comment font les professeurs pour acheter leur papier hygiénique devant tout le monde…

— Moi aussi, je me posais cette question à ton âge. Je ne connais toujours pas la réponse. Et la seconde ?

— Qu'est-ce qu'on mange ?

— Des cuisses de grenouille.

3

J'admirais vraiment énormément la façon dont mon camarade égyptien et son père turc étaient parvenus à mémoriser de façon parfaite une quantité impressionnante de parties d'échecs qui avaient compté dans l'histoire de ce jeu. Très tard dans la soirée, ou très tôt le matin, ils pouvaient choisir par exemple de reconstituer le match Bagirov-Goufeld de 1973, ou ceux qui avaient opposé Reshevsky (le joueur préféré de mon cher Haïçam) à Averbakh, en 1953, ou à Bobby Fischer, en 1961. Haïçam voyageait ainsi dans le temps et faisait plusieurs fois le tour de la terre sur soixante-quatre cases noires et blanches.

Haïçam me commentait les coups échangés, comme si je pouvais comprendre quoi que ce soit à ce jeu compliqué qu'on appelle aussi le jeu des rois et le roi des jeux. Et j'avais à cœur de me montrer à la hauteur.

— Tu vois, m'enseignait-il à voix basse, Reshevsky était un joueur peu démonstratif. Et totalement imprévisible. Il n'aimait ni l'harmonie ni la transparence ; il adorait jouer des coups bizarres qui déroutaient totalement l'adversaire !

— Ah bon…

— Mais oui ! C'était aussi un fidèle de la défense Nimzowitsch pour éviter le doublement des pions…

Je prenais l'air de celui qui sait de quoi on parle et qui apprécie en connaisseur.

— Tu vois ce que je veux dire à peu près ? me demandait Haïçam.

— Évidemment que je vois !

Les yeux de mon camarade souriaient derrière ses grosses lunettes.

Certainement, il devait faire semblant de croire que je pouvais comprendre quelque chose à ce jeu compliqué, encore bien plus compliqué que les équations à une seule inconnue, qui sont déjà pas mal dans le genre, et c'était très gentil de sa part.

— Tu vois, disait-il en désignant son père qui venait de jouer, Averbakh a été critiqué pour ce coup car le cavalier est maintenant positionné en G3. Il aurait mieux valu jouer 8… C5.

— Je me disais aussi…

Un jour je lui avais demandé à quoi pouvait servir de recommencer des parties qui avaient déjà été jouées et dont on connaissait la fin.

— C'est comme réviser les tables de multiplication…

— Tu dis ça pour moi, pour m'inciter ?

— Mais non, c'était simplement pour comparer…

— Ton joueur, là, comment ?

— Reshevsky ?

— Oui, eh bien, il ne devait avoir aucun problème avec les tables de multiplication ni avec les équations inconnues…

— Effectivement, à six ans, il jouait déjà des parties simultanées contre vingt adultes. On l'appelait le « Maestro de l'échappatoire », en raison de son instinct de survie qui lui permettait d'échapper à des situations totalement désespérées.

— C'était un expert… Comme Alexandre Dumas.

Il a souri et je me suis demandé si je n'avais pas dit une bêtise.

— Si on veut. Mais ce qu'il aimait surtout, ton Alexandre Dumas, c'était bouffer et courir les jupons !

Je n'osais pas le contredire, parce que je manquais de documentation. Je me suis promis de vérifier tout de même. J'ai essayé de moduler :

— Et écrire aussi quand même…

— Oui, évidemment, écrire aussi. Mais moins.

— Faut dire que c'est moins rigolo !

Nous étions arrivés devant la classe de mathématiques et nous nous étions rangés le long du mur pour laisser passer ceux qui sortaient du cours précédent.

J'ai cherché des yeux Marie-José et je n'ai vu que sa touffe de cheveux bouclés qui dépassait, alors je me suis dit qu'elle était vraiment beaucoup plus grande que moi. Elle était très soignée, avec des lignes bien nettes et pures et rien qui dépassait dans les marges. J'ai repensé à ce que papa me disait souvent pour m'initier à la propreté : c'est dans les pieds que le vrai soin et la vraie distinction se réfugient. J'ai baissé les yeux et j'ai bien vu que Marie-José portait des chaussettes impec, ultra blanches et au garde-à-vous sur les genoux.

Je me suis senti tout flou en comparaison, comme prêt à me diluer.

Un fois en classe, on nous a distribué une feuille avec dessus des figures et des questions et je me suis tout de suite rendu compte que c'était difficile. J'avais passé la soirée de la veille à potasser le manuel Krebs et divers journaux pour répondre enfin à la question de papa concernant les innovations sur le Paris-Berlin 1901, mais je m'étais endormi sans avoir rien trouvé, et en prime j'avais oublié de réviser. J'ai commencé par tailler mon crayon pour me mettre en condition et ensuite j'ai lu la question :

Construis un triangle ABC isocèle de sommet principal A. Soit E le symétrique de A par rapport à la droite (BC). Soit T la translation qui transforme B en A. Démontre que l'image de E par T est C.

46

Mat, archi mat. J'ai repensé au joueur Reshevsky dont me parlait mon respectable Égyptien. J'aurais bien voulu être comme lui un Maestro de l'échappatoire, et disposer d'un instinct de survie efficace qui m'aurait permis de triompher des triangles de toutes sortes, mais ce n'était pas le cas. Pour tuer le temps j'ai fait tomber ma règle métallique, ce qui a agacé un peu tout le monde et n'a pas plu à notre professeur handicapée.

— Victor ! Tu vas changer de place… Prends tes affaires et installe-toi… là-bas, à côté de Marie-José. Au moins je suis certaine que tu ne seras pas distrait…

Tandis que je m'installais à la table de Marie-José, j'ai voulu lui sourire, mais elle avait les yeux collés à sa copie, qui était couverte d'une écriture fine et régulière, aussi propre et bien tirée que ses chaussettes. Moi, j'ai pensé qu'il valait mieux ne regarder ni mon écriture ni mes chaussettes, car il y avait des trous partout et ça manquait d'élastique. Ensuite j'ai dû avoir une absence, car quand j'ai de nouveau posé les yeux devant moi, j'ai trouvé une feuille de brouillon sur laquelle il y avait marqué :

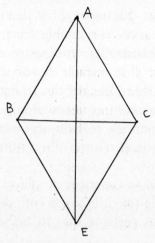

ABC est isocèle de sommet principal A,
donc AB = AC. E est le symétrique de A
par rapport à la droite (BC). Donc
AC = EC et AB = EB. EC = AC = AB = EB.
ABEC est un losange et donc aussi
un parallélogramme. Donc l'image
de E par T est C.

Ça, ça ne m'était encore jamais arrivé. J'ai regardé
autour de moi pour essayer de deviner qui pouvait
avoir d'aussi bonnes intentions, mais je n'ai croisé
aucun regard. Haïçam, au fond de la classe, n'y était
pour rien. Il avait retiré ses grosses lunettes et promenait ses yeux sur une lointaine ligne d'horizon.
Il avait l'air d'un énorme oiseau tombé du nid.
Comme fragile et immortel à la fois. Alors j'ai cessé

de me poser des questions en pensant qu'il serait bien temps après, et j'ai recopié avec application.

Pendant la récréation, je voulais interroger Marie-José pour savoir si le miracle venait d'elle. Mais je ne l'ai pas trouvée ; c'était pas le genre à traîner dans les toilettes comme les autres. Je suis monté au CDI, qui était un endroit davantage dans ses cordes mais où, pour ma part, je ne m'étais encore jamais trop montré – un genre de bibliothèque où on peut s'informer sur tout. À la télévision j'avais entendu qu'on appelait parfois ce genre d'endroit un « temple de la culture » et je préférais m'en tenir à bonne distance, à cause du temple, et aussi de la culture.

Elle n'y était pas non plus. J'ai fait mine de rechercher des informations, et pour justifier ma présence j'ai ouvert un gros dictionnaire, au hasard.

Camélia : *Nom donné par le botaniste Linné en l'honneur du père Camelli à un arbrisseau à feuilles ovales, luisantes et persistantes, à fleurs larges*. La Dame aux camélias*, roman d'Alexandre Dumas fils*.

J'étais content d'avoir trouvé cette information et je me suis dit qu'Alexandre Dumas fils avait dû choisir cette fleur pour faire honneur à son père, qui s'était autrement fatigué en écrivant *Les Trois Mousquetaires*, un roman tellement instructif qu'on en a fait des films. Ce n'était pas un fils ingrat. Je me suis juré d'en informer papa. C'était quand même une preuve : des choses importantes peuvent se passer parfois, entre un père et son fils. Quand j'ai reposé le dictionnaire, je me suis rendu compte que Marie-José était en train de rendre un livre au documentaliste. J'ai attendu qu'elle sorte et je l'ai suivie. J'ai voulu la rattraper, mais le groupe des filles genre cul pincé l'attendait, alors j'ai été coupé dans mon élan.

On a passé la dernière heure de la journée à disséquer des yeux de bœuf. On était par groupes de deux, Haïçam maniait le scalpel et moi je prenais des notes. J'essayais de croiser le regard de Marie-José, mais ça ne servait à rien, car elle découpait son œil sans relever le sien, je me comprends. M. Dubois, ensuite, nous a tracé des schémas pour montrer comment voit un bœuf, et je me souviens qu'il a dessiné un petit train en face de l'œil pour illustrer. Pour nous, ça fonctionnait de la même façon. À un moment donné Marie-José a posé une question très précise qui m'a un peu échappé à cause des mots compliqués. M. Dubois a paru très surpris et Marie-José a précisé :

— C'est parce que mon père est médecin, alors parfois…

Après la sortie j'ai fait mine de traîner dans les couloirs pour la laisser partir devant et me mettre à sa remorque. J'ai croisé Lucky Luke. J'ai bien cru qu'il allait tout faire tomber à l'eau, parce qu'il s'est dirigé vers moi, et en général ce n'était pas bon signe. J'ai cherché ce que j'avais bien pu faire, mais même moi je n'ai pas trouvé. Transparent, j'étais. Est-ce qu'on l'avait mis au courant du miracle géométrique et qu'on me soupçonnait ?

— Comment ça va, Victor ?

Il avait un air aimable qui m'a un peu rassuré, et en même temps il semblait tracassé.

— Bien, et vous ? Vous n'avez pas eu de chance dimanche dernier… Les gravillons dans les descentes, ça ne pardonne pas !

Il a haussé les épaules.

— J'ai quelque chose à te demander.

— Oui ?

— Dis-moi, tes *Trois Mousquetaires*, c'est Alexandre Dumas père ou fils qui l'a écrit ?

Il croisait les bras avec un regard du genre cérémonie des grandes révélations.

— Alexandre Dumas père, bien sûr. Le fils, il a surtout écrit des histoires de fleurs qui ne sont pas en bonne santé.

— Ah bon… c'est une drôle de famille.

— Pourquoi vous me demandez ça ?

— Parce que la lecture, ça demande de grands espaces…

J'ai pensé à la façon symbolique de s'exprimer de mon respectable Égyptien qu'on ne comprenait pas toujours du premier coup, et je me suis demandé si ce n'était pas un peu contagieux.

— Alors vous aussi vous avez du brouillard dans le langage ? j'ai demandé à Lucky Luke.

51

— Ta ta ta… je me comprends. D'abord tu n'as pas à traîner dans les couloirs…

J'ai filé en vitesse, car je n'avais pas envie que ça tourne au vinaigre. Fréquenter les autorités, ça ne porte pas toujours bonheur.

Une fois dehors, j'ai cherché Marie-José des yeux. Sa silhouette était déjà lointaine. Elle était seule, ce qui était rare, et si je voulais en profiter il fallait que je me dépêche.

J'ai arrêté ma course vingt mètres derrière elle ; elle s'est retournée, car je soufflais comme un cachalot échoué. Ses cheveux frisés s'éparpillaient autour de son visage à cause du vent qui s'était levé et on aurait dit que c'était ce vent qui faisait tomber la nuit.

— Tu habites aussi dans le village ? m'a-t-elle demandé.

— À la sortie, juste après le garage. C'est rare de te trouver sans tes copines. Tu as l'air de bien t'entendre avec elles.

— Je les fréquente surtout au collège, pas tellement en dehors… Je trouve qu'elles…

— Qu'elles ont le cul pincé ?

J'ai mis ma main devant ma bouche, parce que je me suis bien rendu compte que je venais de dire un truc pas dans le ton. J'ai rougi, ce qui m'a surpris, et j'ai eu envie de m'enfuir à toutes jambes, mais j'étais encore trop essoufflé pour. Elle a souri quand même, mais un tout petit sourire, et semblait chercher une réponse.

— Je n'aurais certainement pas dit les choses comme ça, mais ça doit revenir à peu près au même, je pense.

On a continué un peu sans se parler, on est passés devant les grosses maisons de l'entrée du village. Tout à coup, j'ai lâché :

— Au fait, merci pour la réponse sur le triangle iso… iso…

— … cèle ?

— Oui, cèle.

— Tu n'as pas de merci à me dire, pour la bonne raison que je n'y suis pour rien. Je ne savais même pas que tu avais triché…

Comme nous passions devant l'église et que, vraiment, je ne savais plus comment me sortir de cette affaire, j'ai dit :

— Alors il n'y a plus d'autre solution : c'est un miracle. Et quand il y a eu un miracle, il faut aller remercier le bon Dieu. C'est pas trop dans mes habitudes, mais bon.

Je suis entré comme un boulet dans l'église et me suis agenouillé sur un prie-machin. J'ai murmuré une prière à moi à l'intention du patron des géomètres et des triangles, isocèles ou non. La silhouette de Marie-José se découpait en ombre chinoise dans l'encadrement de la porte comme une sorte d'apparition des anciens temps, et mes mots faisaient dans l'église comme un bruit de lavabo qui se vide.

Une fois dehors j'ai tâché de prendre une attitude digne, à la hauteur de mon coup d'éclat.

— Tu es plus drôle que je ne le pensais, a-t-elle dit d'un air pensif.

Malgré l'obscurité, je pouvais voir qu'elle avait un drôle de sourire, dont je n'aurais su dire s'il était un peu moqueur ou un peu triste, ou les deux. Elle s'est arrêtée brusquement et a montré une porte.

— Voilà, je suis arrivée.

— Tiens, c'est drôle…

— Qu'est-ce qu'il y a de drôle ?…

— Eh bien, ton père… il est médecin, et pourtant il n'y a pas de plaque…

— D'abord les médecins ne mettent pas tous de plaque, par exemple ceux qui travaillent dans un hôpital… Et ensuite mon père n'est pas médecin.

— Mais pourquoi tu as menti à M. Dubois ?

— Est-ce que je te demande, moi, pourquoi tu as bouché les cabinets des filles, juste après la cantine, avec le papier hygiénique que tu caches sous les lavabos ? Qu'on a eu mal au ventre tout l'après-midi !

J'ai haussé les épaules et j'ai dit :

— Alors pour la réponse au contrôle, ce n'est pas toi, tu es certaine ?

— Évidemment que je suis certaine. Pourquoi est-ce que j'aurais fait ça, tu peux me dire ?

Elle a ouvert la porte avec une grosse clé et j'ai eu le temps d'apercevoir un grand jardin, presque un parc. Elle allait disparaître, mais elle s'est retournée et a dit :

— Si tu veux, tu pourras venir travailler avec moi un jour.

J'étais flatté, mais le mot « travailler » m'embêtait quand même un peu.

*
* *

Le soir même, j'ai laissé papa se dépatouiller avec ses recherches dans son *Intermédiaire des chercheurs et des curieux*. Il a été un peu surpris, car d'habitude le vendredi soir j'aimais bien l'aider à prendre des notes dans sa revue en vue de ses commandes et livraisons. Je lui ai dit que j'avais besoin de faire le point. Je savais que c'était une activité qu'il respectait, et même qu'il encourageait. On s'est donné rendez-vous le lendemain matin pour faire rouler la Panhard.

J'ai commencé par ouvrir le dictionnaire :

Miracle : *Du latin* miraculum, *« prodige », de* mirari, *« s'étonner ». Fait extraordinaire où l'on croit reconnaître une intervention divine bienveillante et auquel on confère une signification spirituelle.*

J'ai trouvé que dans le dictionnaire ils exagéraient un peu sur la signification du mot « miracle », mais dans l'ensemble j'étais d'accord. De toute façon je n'étais pas tellement une référence dans le domaine des choses divines. J'ai sorti tous mes livres de mon bureau, même ceux de l'année précédente, car ça ne pouvait pas nuire. Je suis tombé sur un petit manuel donné par une dame que mon père m'avait emmené voir, rapport à mes difficultés ; mais ça avait cessé rapidement, car un mois après notre première entrevue elle avait déménagé et on ne l'avait jamais revue ; papa m'avait dit que je n'y étais pour rien, que sûrement c'était déjà dans ses projets, mais quand même.

Au début de ce petit livre, les auteurs spécialisés dans les difficultés des autres proposaient une sorte de questionnaire pour que les élèves comme moi puissent voir où ils en étaient, ce qui était bien gentil de leur part et comme une marque de confiance. J'ai passé une partie de la soirée à répondre aux questions, qui se présentaient un peu comme un jeu. Ensuite, en fonction des points obtenus, il fallait se classer dans une des catégories suivantes :

15/20 à 20/20 : Tu as bien compris le cours. Bravo ! Passe directement aux exercices.

8/20 à 14/20 : Tu as des difficultés. Repère tes erreurs et travaille ce que tu n'as pas compris dans le cours et les exercices commentés.

0/20 à 7/20 : Tu as de grosses difficultés. Étudie à fond le cours et fais tous les exercices commentés.

J'avais donc de *grosses* difficultés. Il fallait que j'étudie *à fond* le cours et que je fasse *tous* les exercices. Les bilans, c'est rapidement décourageant, faut bien l'admettre. J'ai feuilleté le sommaire du petit livret, il y était question de cosinus, de distance dans le plan, de translation, de cônes, de situations de proportionnalité et de plusieurs autres choses, avec des noms je vous dis pas. J'ai envoyé le livret valdinguer et il s'est écrasé comme une crêpe sur ma guitare électrique. Par où prendre les choses pour progresser ? je me demandais. J'avais l'impression d'être dans une barque qui fuyait de partout et de ne pas avoir assez de doigts pour boucher les trous. Je n'étais même pas capable de trouver la solution concernant les innovations sur le Paris-Berlin de 1901. J'ai repensé à Reshevsky. Haïçam m'avait dit que ce joueur était fabuleux parce qu'il avait grandi sans entraîneur et sans méthode d'entraînement mais que son talent avait tout rattrapé. Moi non plus, je n'avais pas de méthode d'entraînement ni d'entraîneur, mais je n'avais pas de talent me permettant de tout rattraper. Je n'étais pas le Maestro de l'échappatoire, moi ! Seul un miracle pouvait me sortir d'affaire. Je me demandais comment je ferais si Marie-José m'invitait à venir travailler chez elle. Avec Haïçam, ce n'était pas pareil. Je m'étais ridiculisé plus d'une fois, mais ça ne comptait pas, car il avait une âme de prince, qui ne jugeait jamais et accompagnait toujours. Depuis que je lui avais dit que la prof de math portait son enfant mort dans sa jambe droite, et que c'était sans doute ce poids qui la faisait boiter, il me prenait tout à fait au sérieux ; mais Marie-José disposait-elle des mêmes facultés de compréhension des êtres que mon noble Égyptien ?

*
* *

— La vérité, c'est que je ne suis pas à la hauteur, ai-je dit à mon père qui tisonnait le levier de vitesses de la Panhard.

Le matin, très tôt, nous avions pris la nationale en direction du sud. Nous avions quitté la frange effilochée de la banlieue et maintenant nous longions une grande forêt dont les arbres lançaient de grands bras dénudés vers le ciel tout vide, et c'était très impressionnant dans le matin tout calme. Je m'étais muni du manuel Krebs et d'un bloc-notes réservé à la question Panhard.

— À la hauteur de quoi ? a répondu mon père.

— À la hauteur en général. Ils le disent bien dans le petit livre que m'a donné Mme Picques l'année dernière. Tu te souviens : cette dame très gentille qui a déménagé après m'avoir rencontré ! Elle m'avait dit de faire les tests. Eh bien, c'est clair : je ne suis pas du tout au niveau. Ils s'expriment gentiment dans ce livre, ils prennent des précautions pour pas décourager les bonnes volontés, rapport à l'orgueil et à la dignité des cancres comme moi. Mais quand même on a vraiment l'impression d'être pris pour des cons à cause de cette gentillesse… et au final je dois me préparer à ne jamais m'en sortir. À moins d'un miracle…

— D'un quoi ?

Il fronçait les sourcils et n'avait pas l'air de bien comprendre, comme si je parlais une langue étrangère.

— D'un miracle, d'une intervention divine, si tu préfères.

— Il te faut peut-être plus de temps qu'aux autres ; si tu te décourages tout de suite parce que tu es en queue de peloton… Tu trouveras bien un moyen de changer de plateau…

— Ce n'est pas une question sportive ! Tu sais que le joueur d'échecs Reshevsky, à six ans, jouait des parties contre vingt adultes et qu'il les gagnait toutes ? Tout ça sans entraîneur…

— Et alors ?

— Et alors moi, je ne sais même pas jouer aux dominos.

— Tu n'as jamais appris…

— C'est bien le problème… Rappelle-toi… Oncle Zak a déjà essayé de m'initier aux échecs, même le cavalier je ne le reconnaissais pas… Et cet été Haïçam lui aussi a tenté à nouveau de m'apprendre des rudiments, mais ça ne rentre pas… Il y a trop de diagonales pour moi là-dedans… Et le canasson, il se déplace d'une façon ultra louche.

— Il y a plein de gens qui ne savent pas jouer aux échecs…

— Mais c'est comme ça pour tout : les cosinus, les translations, les cônes, le climat de Nice. Même pour l'orthographe : aujourd'hui j'ai écrit « prodichieuse » au lieu de « prodigieuse ». Je te dis : quelque chose ne va pas.

À ce moment-là nous avons traversé un petit village dont toutes les maisons étaient en pierre. Il y avait des fermes encore endormies, avec marqué « Patates » sur de grands panneaux.

— Tu as vu, a dit papa, ils nous insultent !

J'ai commencé par sourire, et puis c'est sorti, j'ai éclaté de rire et papa aussi, et on ne pouvait plus s'arrêter. La Panhard faisait des zig et des zag dans le matin de cristal. Soudain, des cyclistes en troupeaux nous ont dépassés, tout bariolés de partout, ils se dandinaient sur leur selle, tout suant avec la douleur aux fesses, et papa a ouvert la fenêtre.

— Fainéants ! il a hurlé. Capitalistes !

Et il a donné un grand coup d'accélérateur, avec des étincelles qui sortaient de la Panhard.

C'était la grande forme comique, même si j'ignorais totalement le sens du mot « capitaliste », et je me suis dit que ça devait être un peu du même genre que fainéant. Ensuite papa a allumé l'autoradio et c'était *Satisfaction* des Rolling Stones, la beauté complète du rock. C'était drôle d'entendre papa essayer de chanter comme Mick Jagger.

La Panhard s'est immobilisée dans un petit village et nous en sommes descendus pour nous asseoir dans un café. Papa a serré la main du patron d'une façon très ferme que j'ai admirée ; ce devait être un de ses clients, parce qu'il lui a dit que la « marchandise » n'était pas encore arrivée. Je ne savais pas de quelle marchandise il pouvait s'agir, mais cette expression ne m'a pas tellement étonné, parce qu'il l'utilisait très fréquemment quand il parlait au téléphone avec ses clients. J'ai commandé un chocolat chaud et une tartine. J'ai regardé le bloc-notes ; j'aurais dû davantage faire attention au fonctionnement de la Panhard, car après tout c'était pour vérifier que tout allait bien que nous étions sur les routes à l'aube. La Panhard, si vous lui laissez la bride sur le cou deux minutes, elle se met à dérailler. C'est une voiture orgueilleuse, très réputée pour sa susceptibilité, avec toujours un pet de travers. Son talon d'Achille, c'est le pot d'échappement.

— J'ai l'impression, m'a dit mon père en revenant du comptoir, un plateau au bout des bras, que les soupapes font un drôle de bruit…

— Une sorte de cliquetis ?

— Oui.

— Je note.

J'ai bu un coup de chocolat et j'ai feuilleté le manuel Krebs.

— Pour moi, il a dit, il faudra sortir le cylindre.

— Tu penseras à vérifier que les bagues des leviers de rappel ne jouent pas trop. Parce que la dernière fois, excuse-moi…

— Tiens, tu as une moustache…

Il souriait. J'ai passé une manche sur ma bouche pour me raser. Et j'ai souri aussi.

— Le problème, papa, tu vois, c'est que je suis tout flou.

— Tout flou ?

— J'ai pensé à ça l'autre jour, quand la prof de math m'a placé à côté d'une fille de la classe.

Il souriait encore.

— Et alors, elle était moins floue que toi ?

— Pas floue du tout. Elle était très nette, au contraire. Même les myopes doivent guérir en la regardant. Et tu sais ce qui m'a mis sur cette voie…

— Non.

— Eh bien, ses chaussettes.

On n'a rien dit pendant quelques secondes. J'ai repris :

— Papa ?…

— Oui ?

— Faut que tu m'achètes des chaussettes neuves bien serrées et bien remontées. Je crois vraiment que je m'en sortirai bien mieux au collège avec des chaussettes à la hauteur : des chaussettes de compèt' ! Mais dis-moi, toi, papa, à mon âge tu étais élégant ?

Il a réfléchi un peu. Des chasseurs sont entrés dans le café.

— Super élégant. Je portais une cravate et un gilet. Et aussi des mocassins.

Mon père pensait que l'élégance, c'est comme un passeport ; et que si mon grand-père, dont il tenait ce goût, n'avait pas été sapé comme un milord, jamais il n'aurait réussi à s'intégrer à son arrivée en France.

J'ai essayé de l'imaginer ultra chic dans la cour de récréation et ça m'a ému, à cause des choses du passé qui vous échappent presque autant que celles de l'avenir.

— Alors ton miracle, ce sera la chaussette !

— En quelque sorte.

Nous sommes remontés dans la Panhard et nous avons repris la route. Papa manipulait le levier de vitesses d'un geste très souple, presque comme une caresse.

Puis il a remis les Rolling Stones.

4

C'est la semaine suivante que j'ai eu la certitude que le miracle arithmétique se prénommait Marie-José.

Pendant la semaine j'avais fini par admettre qu'elle n'était pour rien dans toute cette affaire. J'en étais même venu à me dire que peut-être j'avais rédigé les réponses sans m'en apercevoir. Dans l'histoire il y a eu des choses encore plus étonnantes, je n'ai pas d'exemple à l'esprit, mais je sais que c'est une réflexion qui m'est venue une fois en cours.

Mais le jour où notre prof nous a rendu les copies, je n'ai plus eu de doute et tout s'est éclairci, parce que Marie-José avait une moins bonne note que moi. Et ça, ce n'était pas possible, scientifiquement inenvisageable, intervention divine ou pas. J'ai eu droit à des félicitations, ça a été une grande cérémonie ; j'en ai été tout ému même, très touché, et je finissais par prendre ces compliments au sérieux, comme s'ils étaient mérités, avec en échange l'angoisse qui va avec. Toute la classe me regardait et j'étais impressionné, car personne n'avait l'air de se douter de rien ; même Haïçam était sorti de sa torpeur, pour ne pas manquer ce moment important. Un sourire très doux fendait son gros visage qui respirait le calme et la confiance. Mon cœur battait à toute vitesse à cause de l'émotion. La prof ne pouvait plus s'arrêter, ça devenait une vraie légion d'honneur, comme si j'avais décroché la lune géométrique. Je trouvais qu'elle exagérait un peu, mais j'avais du retard pour ce qui est des louanges et je préférais en faire provision. Elle m'a même comparé à Marie-José quand elle lui a rendu sa copie, et c'était la première fois que je l'entendais faire un peu d'humour.

— Tu vois, tu as même fait mieux que Marie-José, qui a terminé son problème par une grosse faute. Ainsi, je suis certaine que tu n'as pas copié !

Seulement tout ça ne s'est pas terminé tellement bien, parce qu'à la fin du cours la prof est venue vers moi en boitillant et m'a dit :

— Maintenant tu n'as plus d'excuses ! Tu as prouvé que tu peux parfaitement réussir en travaillant un peu. Alors je compte sur toi, hein ?

Elle me regardait bien droit dans les yeux. Elle a encore ajouté solennellement, comme dans les cérémonies antiques :

— *Tout le monde* compte sur toi !

Je suis ressorti de là avec le sentiment que je tenais le sort du monde au bout de mon stylo, et la seule chose que je pensais, c'est que j'étais bien emmerdé. Je voulais avoir un entretien avec Marie-José, mais elle avait filé et disparu. Dans les couloirs j'avais l'impression de sortir d'un match de boxe. J'ai cherché des yeux Étienne et Marcel, qui étaient les deux autres membres du groupe de rock dont j'étais le fondateur historique, mais ils devaient déjà être dans la cour en train de frapper dans leur ballon.

En bas, alors que je passais devant son bureau le plus discrètement possible, je suis tombé sur Lucky Luke, et là, ça a été le coup de grâce, parce qu'il en a remis une couche.

— Beau sprint, mon garçon, belle échappée ! Je suis au courant de tes exploits. Te voilà maillot jaune ! Rien à dire : chapeau ! Un coup de mousquetaire !

Il avait posé une main sur mon épaule, comme s'il était vraiment fier de moi.

— J'espère que tu es content !

— Oui, monsieur, très content...

— Je savais qu'on pouvait compter sur toi et que tous nos efforts pédagogiques n'avaient pas été entrepris en vain...

Il tenait un pouce en l'air.

C'en était trop. J'ai filé jusqu'aux toilettes, car l'émotion me prenait et je ne voulais pas me laisser aller devant tout le monde : j'avais ma dignité. Je me suis enfermé dans une cabine ; depuis que je cachais le papier, il y avait toujours de la place, et j'ai pleuré un grand coup. Ça m'a libéré et m'a fait beaucoup de bien. J'ai décidé de faire un petit bilan, là, sur la cuvette. J'avais souvent rêvé d'une telle avalanche de compliments, mais un peu comme d'un jouet de Noël beaucoup trop cher, et maintenant que c'était arrivé, j'en étais tout retourné. Ça, c'était pour le côté lié à ma sensibilité. Ensuite il fallait envisager le problème créé par la situation, car j'avais désormais une responsabilité sur le dos. Avant, je n'avais à être à la hauteur de rien du tout, ce qui était bien reposant, tandis qu'à présent tout le monde attendait de moi des résultats. Je risquais de décevoir, et quand on porte en soi la déception des autres, franchement c'est l'angoisse totale, car il n'y a plus beaucoup d'espoir. J'ai eu envie de mettre les pouces et d'aller trouver Lucky Luke pour lui dire que tout ça, c'était du frelaté, que j'avais honteusement triché et qu'il n'y avait rien à attendre de moi. Ma carrière de bon élève commençait vraiment mal, dans le tracas et les regrets. J'ai tiré la chasse d'eau en me demandant pourquoi dans mon cas tout finissait par tourner à la bouffonnerie.

Dans la cour, j'ai localisé Étienne et Marcel. Ils jouaient ailier droit tous les deux, car ils étaient gauchers. Ils étaient frères et je les appelais « le Métro » depuis que j'avais appris qu'il existait une station de métro Étienne-Marcel. Ils jouaient de la guitare basse et de la batterie, vraiment comme des manches ; mais je n'étais pas très regardant sur les performances musicales et je les avais pris dans le groupe. Pour baptiser notre ensemble, on avait cassé une bouteille de jus de pomme sur la vieille guitare électrique que papa m'avait achetée. Il nous avait soufflé un nom épatant, La Chignole, et même, au passage, donné la permission de jouer dans l'atelier, au fond de la cour. Je ne savais pas trop d'où lui était venue cette idée de nom… La Chignole… et je me demandais si c'était très flatteur pour nos performances, mais bon… Un jour on avait donné à notre professeur de musique une démo avec nos meilleures œuvres. Il avait apprécié l'initiative, mais selon lui il y avait eu un problème technique, car il n'avait entendu que des bruits de métal frappé et de soufflerie.

— C'est bizarre, il nous avait dit un peu gêné, on a l'impression que vous avez enregistré dans… un atelier de forgeron… ou… sur une piste de décollage !

On a repris la maquette et on lui a définitivement fait la gueule, au prof, car les artistes sont susceptibles.

Juste avant la sonnerie, j'ai demandé à Étienne et Marcel ce qu'ils pensaient de ma situation. Évidemment j'ai évité de leur dire que Marie-José était certainement à l'origine de tout ça, je me sentais suffisamment ridicule. Étienne a suggéré que je devienne effectivement le Maestro de l'échappatoire dont parlait le respectable Égyptien, et que je continue à tricher pour me maintenir à l'excellence que j'avais atteinte. J'ai haussé les épaules.

— C'est impossible, je suis trop con pour tricher efficacement. L'année dernière, j'ai essayé ; total : je me suis pris un après-midi de colle et j'ai dû récurer tous les chiottes du collège. Alors non merci. Et puis j'ai trop de scrupules. Pas vous ?

— Non.

Marcel a levé les yeux au ciel et a préconisé tout simplement que je travaille pour réussir honnêtement. Bien sûr, au cours de mon bilan, depuis ma cuvette, j'avais bien envisagé cette solution.

— J'ai trop de retard. Dès que j'essaie de m'y mettre, ça devient du chinois. Par exemple, je suis sûr que si ce soir je relis le cours de SVT de ce matin sur les petits pois ridés et les petits pois lisses qui donnent je ne sais plus quoi, eh bien, je n'y comprendrai plus rien !

— Tous les grands musiciens de rock se sont signalés par une scolarité calamiteuse, a dit Étienne, sentencieusement.

Il y a eu un immense silence, à cause du respect qui s'imposait.

— Et tu *es* un grand musicien de rock, il a ajouté pour ajouter.

*
* *

Après les cours, j'ai prévenu Haïçam que je ne viendrais pas le regarder jouer aux échecs, parce que j'avais plus urgent à faire.

— C'est dommage, m'a-t-il dit, car je comptais te montrer les secrets de la défense sicilienne…

Décidément, tout le collège devait s'être donné le mot pour se payer ma tête. J'ai fait semblant de rien et j'ai répondu :

— Demain peut-être.

— Impossible. Demain, c'est samedi.

— Et alors ?

— Alors c'est shabbat. Et ce jour-là on a le droit de ne rien faire.

— Mais tu es égyptien, un respectable Égyptien. Et ton père est turc ; turc d'Istanbul.

— De Galata, s'il te plaît. Et qu'est-ce que ça fait ?

Je n'avais aucune réponse satisfaisante à fournir, et de toute façon mon esprit était tourné vers d'autres préoccupations. Haïçam a ouvert la porte de la loge, où son père, coiffé de son fez, pétrissait des tresses de pain. Avant de refermer la porte, mon respectable Égyptien m'a encore dit :

— J'ai l'impression que ta précipitation à quitter le collège a quelque chose à voir avec tes exploits d'aujourd'hui.

Il me regardait de son air radioactif. Sûrement, il devait voir mon squelette.

— Et alors, qu'est-ce que ça fait ? j'ai répondu du tac au tac, sans réfléchir.

Il a baissé la tête lentement, comme pour dire que c'était une bonne réponse, et ça m'a fichu des frissons dans le dos, car je me sentais grandi grâce à lui.

71

J'ai couru jusqu'à l'entrée du village pour être certain de ne pas la rater. Je n'aurais pas eu la patience d'attendre tout le week-end pour tirer cette affaire au clair. J'ai eu envie d'entrer de nouveau dans l'église pour prier qu'elle soit seule, mais je me suis dit que deux fois en si peu de temps ça paraîtrait certainement suspect, là-haut, où on est chatouilleux sur les convenances. J'ai préféré croiser les doigts. Quand elle a débouché, seule, avec sa touffe de cheveux qui faisait comme une boule de mousse, je lui suis tombé dessus comme un avion de chasse. Elle a sursauté.

— Tu m'as fait peur, dis donc. Ça va ?

— Non.

— Tiens, pourquoi ? Avec les compliments que tu as eus aujourd'hui ?

— Justement.

— Mais qu'est-ce que tu as ? Explique-toi.

Je sentais l'énervement me gagner, mais j'avais à cœur de me contenir, car elle pouvait me planter là, comme ça, et rentrer chez elle direct ; et puis je tenais à exposer la situation avec rigueur et clarté, qui sont deux qualités essentielles dont il faut être muni dans la vie, m'avait expliqué papa. J'ai remarqué qu'elle avait enlevé sa grosse bague.

— Ne fais pas semblant de ne rien comprendre. Tu sais très bien dans quelle panade je suis.

Elle s'est assise sur le banc face à l'église.

— Raconte alors, mais vite. Parce que je dois rentrer.

— Eh bien voilà, aujourd'hui j'ai eu une meilleure note que toi…

— Oui, j'ai fait une faute à la dernière étape.

— Ne te fous pas de moi… Vous vous êtes tous passé la consigne aujourd'hui… Je sais très bien que c'est toi qui m'as fourni la copie avec la réponse et que tu as fait exprès de faire une faute pour brouiller les pistes…

Je croisais les bras pour le sérieux, et les jambes à cause de la trouille.

— Pourquoi est-ce que j'aurais fait ça ? Mais admettons. C'est quoi le problème, puisque tu as eu la meilleure note de la classe ?

J'ai cherché mes mots pour sortir une réponse à la hauteur de mes sentiments. Mes yeux se sont posés sur la girouette de l'église qui changeait de direction sans arrêt. Avis de tempête, j'ai pensé. D'un seul coup Marie-José s'est levée et je lui ai emboîté le pas en trottinant derrière elle.

— Tout le monde est au courant que je me suis racheté une conduite scolaire. Je suis le seul, avec toi, à savoir que ce n'est qu'une conduite accompagnée, et que c'est la totale arnaque sur toute la ligne. Même Lucky Luke m'a félicité. Je suis certain que mon père est au courant.

— Et qu'est-ce que ça fait ?

— Ça fait que maintenant je vais décevoir tout le monde et que c'est l'angoisse. Fatalement. Je ne pourrai jamais recommencer cet exploit. Dès le prochain contrôle, je vais retomber au plus bas, et je serai démasqué…

— Sauf si…

— Sauf si rien du tout… Je t'arrête tout de suite : surtout ne me propose plus de tricher… Tiens, d'ailleurs tu vois bien que c'est toi qui…

— Admettons. Mais je ne voulais pas te propo…

Elle a ralenti, j'ai compris que nous arrivions chez elle. Mais je n'allais pas la laisser filer comme ça. Je me suis mis devant la porte de sa maison et j'ai de nouveau croisé les bras.

— Soyons clairs : c'est toi ou c'est pas toi ?

Elle cherchait calmement ses clés dans son sac et ses cheveux tout frisés un peu roux lui cachaient le visage.

— Bon. C'est moi.

C'était bizarre, parce que je ne trouvais plus rien à dire. Elle me regardait en souriant et en se pinçant les lèvres en même temps.

— Et pourquoi tu as fait ça ? Tu vois où j'en suis maintenant ? C'est comme les affamés d'Afrique : si tu leur refiles un festin tout de suite, eh bien, ils claquent illico. Avec moi aussi, il aurait fallu y aller plus doucement.

— Je n'ai pas réfléchi. Ce n'est pourtant pas mon genre… de tricher, je veux dire… et de ne pas réfléchir non plus.

Pendant quelques secondes je me suis demandé si je devais trouver cette raison suffisante ou non.

L'armée Rouge avait débarqué dans ma tête en bataillons serrés.

— Je dois rentrer pour travailler mon violoncelle… mais si tu veux, tu peux venir m'écouter.

J'ai failli dire que moi aussi j'étais musicien, mais je me suis retenu. J'étais curieux de faire connaissance avec son violoncelle. Mais papa allait s'inquiéter. Et moi, j'allais m'inquiéter à cause de son inquiétude, et ça m'embêtait quand nous nous inquiétions chacun de notre côté. J'ai tout de même suivi Marie-José. Nous avons traversé le grand jardin sur une allée de gravillons qui serpentait autour d'une quantité d'arbres très différents les uns des autres. À un moment, elle m'a dit en chuchotant :

— Au fait, merci d'avoir remis le papier dans les toilettes des filles.

*
* *

Le soir, j'ai réfléchi à tout ça. J'avais la tête comme une citrouille et papa m'a trouvé une mine bizarre. J'ai juste eu la force de me fourrer le thermomètre et de filer au lit. Quand papa m'a demandé ce qui me mettait dans cet état-là, j'ai simplement répondu :

— C'est qu'on m'a trop donné à bouffer d'un coup…

Et comme il ne comprenait pas trop, j'ai expliqué un peu :

— J'ai eu la meilleure note de la classe.

D'ailleurs il était déjà au courant, car il avait croisé Lucky Luke qui s'entraînait sur son vélo, et ensemble ils avaient évoqué mon cas, comme quoi tout n'était pas perdu.

Finalement, il semblait trouver étrange que je me torture pour une bonne note ; mais il avait à faire dans la Panhard, alors il m'a laissé en concluant que j'étais jamais content, et surtout beaucoup trop compliqué pour le bonheur. De toute façon j'avais renoncé à détailler davantage.

J'ai repensé aux moments passés chez Marie-José. J'avais dû me taper une heure et demie de violoncelle avec Vivaldi, Bach et un Marin quelque chose dont je n'avais jamais entendu parler. À la fin, elle avait posé son archet et m'avait demandé :

— Tu aimes la musique, toi aussi ?

— Oui, j'ai dit.

— La musique classique ou baroque ?

— La baraque ? Quelle baraque ?

— Baroque. Pas baraque.

J'ai rougi un bon coup à cause de l'ignorance ennemie.

Je ne connaissais pas la différence, mais baroque, ça ne me disait vraiment rien qui vaille, je me demandais même si ce n'était pas un piège. Classique, ça me paraissait plus… classique.

— La classique. Parce que l'autre, tu vois…

— Quoi en particulier ?

76

J'ai réfléchi à cent à l'heure. C'était pas le moment de faire le malin. J'ai repensé, je ne sais pas pourquoi, aux croquettes de mon lapin qui était mort l'année d'avant, les croquettes Mozart.

— Mozart. Celui que j'aime, c'est Mozart.

J'avais le grand sourire du soulagement.

Je me suis dit que je trouverais bien la documentation plus tard.

— Une œuvre en particulier ?

— Oh… un peu toutes. Je suis un fan.

Elle s'était remise à enduire son archet avec une drôle de matière qui ressemblait à de la cire.

— Qu'est-ce que c'est ? ai-je demandé pour faire mine de m'intéresser.

— De la colophane. Pour que l'archet accroche bien sur les cordes.

Ça ressemblait à une longue caresse, comme geste.

Je me suis levé, j'avais des fourmis dans les jambes. J'ai regardé les livres rangés par ordre alphabétique dans la bibliothèque. J'ai tout de suite remarqué qu'il y avait beaucoup de livres sur les yeux, c'était bizarre : *Anatomie du nerf optique*, *Pathologie de la vision*, *L'Apprentissage de la cécité*, etc. Et encore d'autres aux titres si compliqués qu'on aurait pu les prendre pour des livres de science-fiction. J'ai demandé :

— C'est drôle, tous ces livres sur les yeux. Comment ça se fait que tu t'intéresses à ça ?

— C'est pour mon exposé.

— Ton exposé ?

— Oui, tu sais bien, j'ai proposé à la prof de français de faire un compte rendu à la classe sur le livre dans lequel Helen Keller raconte sa vie.

— Et alors, quel rapport avec les yeux ?

— Eh bien, Helen Keller était une Américaine qui a perdu la vue à l'âge de dix-huit mois et qui a réussi à devenir quelqu'un de très savant et de très renommé grâce à son institutrice, qui a tout fait pour la sauver... Voilà son histoire, en gros évidemment. Si tu veux je te passerai le livre.

— Non merci, j'ai assez avec *Les Trois Mousquetaires*. Après, peut-être, quand j'aurai terminé... dans dix ans. Au fait, quelque chose me tracasse... est-ce que tu sais, toi, si c'est vrai que M. Alexandre Dumas, eh bien, il aimait surtout se goinfrer et courir les filles ?

— Je crois que c'est vrai.

J'étais un peu déçu, j'avais quand même espéré qu'Haïçam se trompait. Mais le respectable Égyptien ne se trompe jamais.

— Donc tu as besoin de tous ces livres pour ton exposé ?

— J'aime bien être documentée quand j'entreprends une tâche.

— Remarque, c'est normal que tu t'intéresses aux yeux et aux aveugles...

— Pourquoi ?

— Parce que beaucoup d'aveugles sont aussi très bons musiciens. Ça vous fait un point commun.

Elle a haussé les épaules et son visage s'est fermé à double tour, alors j'ai vraiment eu le sentiment d'avoir dit une énormité. Mais il faut dire que j'avais souvent cette impression-là dans ma vie.

La maison était silencieuse, et parfois on entendait le bois craquer.

— Tu es toute seule ? Tes parents ne rentrent pas ?

— Si, mais plus tard. Je suis souvent seule, parce que mes parents sont experts en objets d'art et commissaires-priseurs, alors ils sont souvent absents.

— Commissaires ? Quelque chose dans la police ?

— Mais non. Tu sais bien : 1... 2... 3... Adjugé vendu !

Elle a donné sur la table un invisible coup de marteau. J'avais déjà vu ça dans des films.

On est restés quelques minutes sans rien se dire, et moi je me disais qu'il fallait absolument que je trouve un sujet de conversation. J'ai immédiatement écarté la question musicale, car vraiment je n'étais pas à la hauteur. À propos... je ne devais surtout pas oublier de dire au Métro de rester discret quant à nos performances musicales. Plus je cherchais quoi dire, et évidemment moins je trouvais ; à la fin j'ai pensé qu'il valait sans doute mieux que je m'en aille, car ça allait véritablement devenir gênant. Elle a rangé son violoncelle et elle s'est assise sur son lit en me regardant très fixement.

— J'ai quelque chose à te proposer...

J'ai senti ma tête rentrer instinctivement dans mes épaules, ça sentait le pacte louche.

— Oui, quoi ?

— Eh bien voilà. Je t'ai mis dans l'embarras en voulant t'aider…

— Oui, mais ça vient de moi aussi ; je suis trop compliqué pour prendre tout ça à la légère…

— Tu sais que je suis une bonne élève.

J'ai haussé les épaules.

— Tout le monde le sait.

— Mes parents m'ont fait tester. Je me souviens du résultat. Les mots du psychologue me sont restés gravés : « QI très au-dessus… »

— C'est quoi QI ? Qualité incroyable ?

— Quotient intellectuel, andouille. Ce que tu as dans la cervelle, quoi… Et le mien est très au-dessus de la moyenne, avec une mémoire inimaginable et une faculté d'abstraction hors du commun.

J'ai pris l'air entendu de celui qui apprécie, mais je ne savais pas ce que voulait dire le mot « abstraction ». Et même « faculté », j'avais du mal à cerner.

— Et alors ? j'ai dit. Je m'en fous. Tu ne veux pas non plus me donner un CV ?

— Moi aussi, je m'en fous, c'est pas ça la question. La question, c'est que si tu veux, je peux te faire travailler.

— Travailler ?

— Oui. Réviser. T'expliquer ce que tu n'as pas compris. Rattraper ton retard.

J'avais la bouche grande ouverte et j'ai dû passer par toutes les couleurs de l'arc-en-ciel. Dans ma tête c'était un bordel pas possible et tout se mélangeait : Reshevsky, Alexandre Dumas, Mozart, Marin machin chouette, la dame aux camélias et d'Artagnan, et même Lucky Luke et le Tour de France. J'ai juste trouvé la force de répondre :

— Il faut que je réfléchisse. Que je me fasse à l'idée.

Effectivement, ça ne correspondait pas tellement à l'idée que je m'étais faite jusque-là d'un artiste genre *guitar hero* subversif.

J'ai pris mon manteau, mais avant de partir je lui ai quand même demandé, un peu comme un défi :

— Et si je te demandais de me dire de quelle innovation technique la Panhard & Levassor a bénéficié sur le Paris-Berlin de 1901 ? Hein ? Tu trouverais ?

— Je trouverai.

C'est ça, cherche, ma belle, je me disais sur le chemin de la maison en savourant par avance ma victoire, cherche autant que tu veux…

5

C'était la fin du trimestre. Papa lisait mon bulletin, et moi, je lisais par-dessus son épaule en me mettant sur la pointe des pieds. Je m'étais bien demandé à quoi il allait ressembler, ce bulletin, car depuis que Marie-José m'avait pris en charge, j'avais tellement eu le nez dans le guidon que je ne voyais plus très bien où j'allais ni ce que je faisais. J'avais le peloton de la classe en point de mire et je faisais ce que je pouvais pour m'en rapprocher. Ça me rappelait la période où on allait emménager dans la maison avec papa. Il avait fallu refaire les murs. Je passais des journées à les enduire de plâtre, mais je me tenais si près de la surface blanche que je ne me rendais pas du tout compte que tout était de traviole et qu'il fallait repasser une autre couche.

Discipline	Moyenne de l'élève	Appréciation générale
Français	9	Des progrès depuis quelques semaines. Je rappelle cependant à Victor que Gustave Flaubert ne travaille pas pour *Le Nouvel Observateur*, et que Dostoïevski n'a pas écrit « Les Frères Kalachnikov ».
Mathématiques	10	Un miracle s'est produit vers la Toussaint. Victor est tout de même prié de ne plus signer ses copies « Albert Einstein ».
Histoire-géographie	8	Victor travaille mieux, mais je me demande où il a entendu parler de « la pochée d'Aden » concernant les Grecs.
Sciences de la vie et de la terre	10	Victor fait des efforts, mais je lui demande de renoncer à trouver les fossiles transparents par lesquels il semble obsédé. Mes grenouilles n'ont pas eu à se plaindre de lui cette année. Les survivantes au génocide, du moins.
Éducation physique et sportive	5	Je sais bien que tu te caches derrière les platanes pendant la course de fond. Ton bonnet dépasse !
Éducation musicale	12	Victor dessine des violoncelles sur sa table, ce qui montre une nouvelle orientation dans ses goûts musicaux. Mais il chante toujours faux.

C'était quand même un des premiers bulletins que je ne redoutais pas trop. J'ai commencé par prendre une petite calculette pour calculer ma moyenne générale et être bien sûr de mes performances. Papa s'est mis à ricaner doucement.

— Eh bien quoi ? Tu te moques ?

— Les frères Kalachnikov… quand même ! Tu n'as pas honte ?

Il a roulé le bulletin et a essayé de me frapper sur la tête avec, mais j'ai réussi à esquiver.

— Ka-ra-ma-zov ! Pas Kalachnikov !

Il riait tout à fait à présent, avec des petites larmes sur le bord des yeux.

— Et Flaubert au *Nouvel Observateur* ! Pourquoi pas au journal télévisé ?

— C'est oncle Zak qui m'a appris que Flaubert travaillait pour ce journal.

Ça a jeté une petite tristesse sur le visage de papa. Moi aussi, ça me serrait le cœur de penser à oncle Zak, qui était reparti sur les routes vers le pays de nos ancêtres.

Papa a fini par conclure :

— Enfin, ce n'est pas si mal, finalement. Tu as même des encouragements.

En somme, j'étais plutôt d'accord avec lui.

— Sauf pour le sport, évidemment, il a précisé.

Il faut dire qu'avec Marie-José on avait choisi de négliger cet aspect-là de la question. On avait préféré parer au plus pressé.

— C'est important, pourtant, le sport !

Il faisait mine de dribbler avec un invisible ballon, c'était drôle.

— Tu vois, Victor, moi, par exemple, j'ai été champion de Paris de football quand j'étais jeune.

— Oh ! Tu rigoles ?

Il a fait le geste de shooter de toutes ses forces dans la balle.

— Évidemment que je rigole ! Mais je sais que le sport, c'est important.

Il y a eu un moment de silence. Papa m'a rendu le bulletin, puis il s'est mis à débarrasser des tasses qui traînaient sur la table du salon. Il se dirigeait vers la cuisine, et d'un seul coup il s'est retourné.

— Ta mère serait fière de toi ! il a lâché.

Il a continué son chemin. Je l'entendais farfouiller dans les placards.

— Papa ? j'ai demandé pendant qu'il était à la cuisine.

— Oui ?

— Tu l'aimais beaucoup, maman ?

Il n'a pas répondu tout de suite et j'avais l'impression que le silence creusait la maison. Je retenais mon souffle. Je l'ai entendu qui revenait vers moi, et j'ai vu ses yeux bleus un peu délavés au-dessus de moi et je me suis dit : « Si un jour tu n'es plus là, papa, je garderai le bleu de tes yeux pour me chauffer le cœur. »

Il a fait mine de plonger dans sa revue, à cause de la pudeur des bêtes blessées, qui est une expression super élégante que j'avais entendue au collège.

— Oui, je l'aimais beaucoup. Tu te souviens quand elle est partie ?

— Pas tellement. Je me souviens seulement qu'à cette période oncle Zak revenait d'un long voyage et qu'il était venu vivre chez nous quelque temps.

— Elle est partie et on s'est retrouvés tous les deux, et sans toi je me serais noyé ! Tu comprends ?

— Oui, papa, je comprends les choses du grand bassin de la vie.

C'était super solennel. Papa a lâché un pet pour tempérer. Et moi aussi, à la sympathie, un plus petit. Et on a rigolé un bon coup.

*
* *

Ensuite j'ai pris mon sac de classe avec mes affaires de la semaine pour réviser. Marie-José m'attendait en début d'après-midi et ensuite le Métro devait venir jouer à la maison ; je ne leur avais encore rien dit de la situation, parce que j'ai mon honneur de *guitar hero* subversif, mais ils se demandaient où je disparaissais pendant des après-midi entiers. À Haïçam non plus je n'avais rien dit, mais je crois qu'il se doutait de quelque chose, car mon respectable Égyptien se doutait toujours de tout.

J'avais hésité longtemps avant d'accepter la proposition de Marie-José. Je m'étais demandé s'il n'y avait
pas un piège à flairer là-dessous. Je n'avais pas encore
une entière confiance en elle, avec ses chaussettes
toujours si blanches, ses facultés stratosphériques et
son violoncelle qui ressemblait à un animal vivant
difficile à dompter, tandis que moi, je me contentais
de ma vieille guitare toute déglinguée et du bruit que
j'en tirais avec le Métro. Nous ne faisions pas du tout
partie de la même division, Marie-José et moi, nous
ne jouions pas dans la même cour ; je ne voyais pas
bien ce qui pouvait l'intéresser dans ma personne et
je me sentais souvent comme une petite bête curieuse,
toute ratatinée et insignifiante sous le microscope du
savant qui veut l'étudier.

J'ai commencé à changer d'avis le jour où j'ai
retrouvé dans ma trousse un morceau de papier avec
écrit dessus : « En mai 1901, la Panhard & Levassor
disposait pour la première fois d'un moteur sans
joints à la culasse et d'une suspension du mécanisme
en trois points. » J'avoue, j'étais totalement cloué,
car même dans le manuel Krebs que j'épluchais tous
les soirs je n'avais pas trouvé l'information. Le soir
même j'ai demandé à papa et il a confirmé, mais j'ai
refusé de lui dire d'où je tenais la réponse, car j'ai ma
dignité. Le lendemain j'hésitais encore un peu et je
réfléchissais à tout ça, quand le prof d'histoire m'a
demandé devant toute la classe :

— Alors Victor, Gutenberg, qu'est-ce qu'il a inventé ?

Je n'ai pas pris le temps de réfléchir, ce qui est une grave erreur, dans la vie en général. J'ai répondu :

— L'imprimante !

Le point d'exclamation, c'est pour montrer comme j'étais sûr de moi et satisfait de ma réponse. Évidemment tout le monde a éclaté de rire, d'autant plus que ça faisait longtemps que je n'avais pas été ridicule. J'avais perdu l'habitude, moi aussi. J'ai cru que j'allais prendre un savon, mais ça a été bien pire, car le prof m'a posé une nouvelle question :

— Laser ou jet d'encre ?

*
* *

Les premières semaines, ça n'a pas été facile. Il a fallu que je retrouve toutes mes anciennes copies et j'ai dû les sortir de la poubelle, où elles étaient roulées en boule. J'ai demandé à papa le fer à repasser et ça l'a étonné de me voir aplatir les cosinus, déplisser les plans dans l'espace, assouplir les représentations graphiques et étendre le tout sur le fil à linge dans la cuisine.

Ensuite, pendant quelques jours, Marie-José a étudié mes compositions devenues toutes raides à cause de l'amidon ; elle m'a alors raconté l'histoire de deux écrivains qu'elle avait apprise dans un livre. L'un d'eux avait dix-sept ans et n'arrivait pas à écrire son roman, l'autre était bien plus âgé, et comme il aimait beaucoup le premier, il l'enfermait dans une chambre de sa maison avec un paquet de feuilles et une bouteille de whisky, avec ordre de glisser les feuilles sous la porte. Quand le plus jeune en avait écrit un nombre suffisant, l'écrivain plus âgé le laissait sortir. Plus tard, le jeune était mort brusquement, alors l'autre avait dit que c'était pour lui comme une amputation sans anesthésie, tellement la douleur était grande. Marie-José trouvait cette histoire très intéressante. Moi, je pensais que si ça ne lui faisait pas plaisir de l'écrire, son livre, eh bien, ce n'était pas la peine de tant le forcer, que c'était peut-être ça qui l'avait tué au final ; j'ai pensé qu'Alexandre Dumas, lui, n'avait pas eu besoin qu'on l'enferme dans une chambre pour écrire *Les Trois Mousquetaires*. Mais je n'ai rien dit du tout, car je voyais bien que Marie-José voulait surtout faire un lien avec notre situation, ce qui me flattait un peu quand même.

Donc elle m'installait devant son bureau sur sa chaise de travail avec un nombre impressionnant d'exercices ou de révisions à faire et en sortant elle disait :

— Je ne ferme pas à clé et je ne te donne pas de whisky, parce qu'il ne faut jamais faire comme dans les livres… mais le cœur y est !

À la place du whisky j'avais droit à un verre de grenadine. Pendant que je tâchais de travailler, je l'entendais qui grattait son violoncelle. Tout de même ça m'étonnait bien, cette façon de s'acharner sur son instrument de plus en plus longtemps avec une sorte de rage et de violence, elle si posée et si tranquille d'habitude, comme si sa vie en dépendait ; et c'était un peu ça, à vrai dire, mais évidemment je ne l'ai su que plus tard. À force, j'avais l'impression que les lignes de mes copies se transformaient en portées sur lesquelles je faisais le funambule ; et comme après le travail elle me parlait encore de tous ses musiciens favoris, je finissais par les connaître presque pour de bon, comme ce Jean-Sébastien Bach qui s'était marié deux fois et qui avait eu vingt enfants. Elle se demandait comment il avait pu écrire tant de musique avec tant d'enfants dans les pattes.

— C'était le spécialiste des portées de toutes sortes en somme, ai-je cru bon de remarquer.

— Très drôle. Et puis, tu sais, il a eu des problèmes de vue…

— Ah, tiens ! Je croyais que c'était Beethoven…

— Mais non, lui, c'étaient des problèmes d'oreille, il était sourd comme un pot.

— C'est moins distingué… C'est tous des éclopés, les musiciens, si je comprends bien.

— Bach, lui, il a dû se faire opérer des yeux. Mais ça n'a pas marché et il est devenu complètement aveugle.

Elle était toute songeuse. J'ai dit :

— Ça devait pas être rigolo, d'aller à l'hôpital pour se faire tripoter les yeux à cette époque-là.

— Non, ils ont dû faire des progrès depuis.

Ce jour-là donc, à peine arrivé chez elle, je lui ai tout de suite déplié le bulletin sous les yeux pour qu'elle se rende compte de nos performances en tandem. Ses cheveux avaient poussé depuis le début de l'année, et quand elle lisait on ne voyait plus rien de son visage noyé dans une mousse toute rousse.

Elle a souri et ses lèvres ont découvert une rangée de dents brillantes et polies comme des perles.

— « La pochée d'Aden »… ? Attends… Tu n'as pas osé, quand même ? J'y crois pas… L'apogée d'Athènes… C'est ça ? Je me demande bien où tu peux aller chercher tout ça. On pourrait se creuser la cervelle pendant des semaines sans rien trouver de si drôle.

— J'ai dû mal copier au tableau… Je t'assure que c'était marqué sur mon cahier… J'avais appris ma leçon sur les Grecs.

— On va tout de même fêter ça…

On est descendus à la cuisine et Marie-José a versé de la grenadine dans une grande carafe qu'elle a placée sur un plateau avec des biscuits, puis on est allés dans le salon.

— Installe-toi sur le canapé, là.

Elle a sorti le violoncelle de son étui et s'est mise à enduire l'archet de colophane. J'avais vu des cavaliers faire le même geste énergique avec des chevaux qu'ils brossaient avec de la paille pour éviter qu'ils ne s'enrhument, et je me suis dit que le violoncelle était peut-être vivant lui aussi, et très fragile. Sur un pupitre, elle a ouvert des partitions couvertes de signes compliqués qui découpaient le temps ; je me demandais comment elle pouvait s'y retrouver. Ensuite elle a pris le violoncelle entre ses jambes et a commencé à l'attaquer avec son archet comme si maintenant elle voulait le battre ou le scier. J'ai mis un certain temps pour saisir le rythme et la mélodie, car c'était tout dégingandé comme musique, je n'avais pas l'habitude ; et petit à petit, à force de ne rien saisir à ce déluge de notes, j'ai eu l'impression de me réveiller, avec le sentiment que j'acceptais de me laisser porter par cette musique que je ne connaissais pas jusque-là. Il y avait un autre monde à connaître… et peut-être existait-il, quelque part après tout, quelque chose d'aussi beau que *Satisfaction* des Rolling Stones. C'était difficile à imaginer, mais pourquoi pas ? Le temps a passé comme ça, elle s'arrêtait de temps en temps pour tourner les pages ou boire un peu de grenadine. J'ai remarqué aussi qu'elle était très jolie avec sa tignasse emmêlée qui se balançait au même rythme que l'archet, d'une beauté qui n'avait rien à voir avec celle des autres filles du collège avec leur pantalon qui entrait partout ; et je me suis aperçu que je n'avais encore presque jamais pensé à elle comme à une fille de mon âge, ni même peut-être comme à une fille tout court.

Quand elle a terminé de jouer, il était déjà tard et je m'étais enfilé tout le XVIIe siècle dans les oreilles. Ça bouillonnait là-dedans à tel point que je ne tenais plus sur mes pattes.

— Il est trop tard pour travailler maintenant, on va aller se promener dans le parc. On a bien droit à un jour de repos.

La grande maison était encore toute déserte, froide, comme abandonnée. Une ou deux fois j'avais aperçu une femme de ménage armée d'un plumeau circulant dans les pièces ; Marie-José lui parlait très poliment et je me disais que c'était tout de même drôlement distingué de parler avec tant de respect.

Comme on descendait le long de l'allée de gravillons qui menait à la route, je lui ai demandé :

— Tes parents, ils ne sont jamais là ?

— Si, mais ils rentrent tard ; ils sont souvent à Londres pour expertiser des œuvres d'art… Je leur demanderai de t'inviter à manger un jour.

— D'accord, mais faudra que je révise.

Elle a souri.

On arrivait à la porte du parc. Le soleil baissait, je me disais que j'allais être en retard pour la Chignole, mais que tant pis !

— Comment ça se fait que tu t'es mise à faire du violoncelle comme ça ? C'est quand même pas très naturel…

94

— D'abord à trois ans j'ai observé un musicien passer de la colophane sur son archet. Et ce geste m'a paru si doux, tellement apaisé, que moi aussi j'ai voulu caresser les cordes. Évidemment mes parents ont été un peu déçus que je ne m'intéresse pas plus que ça à la peinture, mais au final ils ont été très heureux de me voir m'accrocher à une passion. Une vraie passion… Impossible de vivre sans… Ça doit être un peu la même chose pour ton copain Haïçam avec les échecs et les mathématiques…

J'ai failli en tomber par terre. Elle a dû s'en rendre compte, car elle a éclaté de rire.

— Je vous ai vus dans la loge de son père ! Il a l'air drôlement intelligent, ton copain Haïçam…

— Très intelligent, ai-je dit d'un ton très sérieux comme si je pouvais juger.

J'étais un peu vexé qu'elle me dise tout ça à propos du respectable Égyptien, même si j'étais tout à fait d'accord avec elle, et même encore bien plus. De nouveau je me sentais un petit rien du tout en comparaison.

— Moi, c'est différent, j'ai dit, je ne sais rien faire de bien intéressant. *Les Trois Mousquetaires* vont me durer jusqu'à ma majorité et si j'entame *La Dame aux camélias*, eh bien, j'irai jusqu'à la retraite avec ; ça a un côté économique. Je ne pourrai jamais apprendre les échecs, ni le solfège avec toutes ces cloches et doubles cloches…

— Croches et doubles croches !

— Tu vois… Les mots m'échappent ! Même pour les Panhard, tu es plus forte que moi…

On a marché jusqu'au petit lac, sur lequel circulaient trois cygnes qui, avec leur cou dressé, ressemblaient à des parapluies flottant à l'envers. On s'est assis sur un banc, tout était silencieux et nous aussi. Elle était toute droite à côté de moi et je n'osais plus la regarder. Il n'y avait aucune comparaison entre elle et moi, rien de commun, tout clair, et j'en étais toujours à me demander pourquoi elle me portait assistance. Comme on se relevait et qu'on allait bientôt se quitter, je lui ai dit :

— Je ne pourrai jamais te remercier comme il faut… Sans toi, j'étais foutu… Maintenant il y a peut-être un peu d'espoir… un tout petit, mais quand même… Même Lucky Luke me fiche la paix.

Elle a pris un air sérieux soudain. Elle se tortillait les cheveux avec un doigt et ses joues rougissaient à vue d'œil. Elle a répondu :

— Si. Crois-moi, tu pourras me remercier, et au-delà de ce que tu peux imaginer !

C'était mystère et compagnie, mais je n'ai pas cherché à comprendre davantage, car ce n'était pas mon genre. Moi, je suis tout en surface.

— Il faut que je me dépêche, a-t-elle dit, je vais être en retard au conservatoire.

— Parce que tu continues à apprendre ?

Elle s'est arrêtée brusquement. Derrière elle, haut dans le ciel, j'ai vu passer un triangle, isocèle ou non,

96

d'oiseaux migrateurs. Je me suis dit que Noël approchait.

— Je dois continuer à apprendre, parce qu'à la fin de l'année je veux passer un concours très important. C'est capital pour moi.

— Et qu'est-ce que tu feras avec ce concours ?

— J'irai dans une école spéciale pour faire de la musique en plus des études.

*
* *

Nous nous sommes séparés. J'avais le cœur tribouillé, tout gonflé et prêt à éclater. En longeant le parc, j'ai trouvé par terre un merle, étalé comme une crêpe et tout grelottant, avec la pauvre virgule jaune de son bec qui s'entrouvrait comme pour demander assistance. Je me suis dit que c'était exactement l'idée que je me faisais de mon cœur, et sûrement ça m'a incité à la compassion et à l'amour des bêtes. J'ai eu l'impression de ramasser une boule de plomb ; je me suis dit que c'était à cause de la densité, parce que les choses de la vie doivent se concentrer à l'intérieur quand on est gravement atteint, pour offrir moins de prises au malheur.

J'ai couru jusqu'à la maison en portant ce petit paquet de vie recroquevillée sous les plumes. Je n'étais pas très optimiste sur cette question de sauvetage. Je n'étais pas très savant en merles, mais j'avais l'impression qu'il était bien souffrant, cet oiseau.

Étienne et Marcel étaient arrivés depuis long-temps ; j'ai quand même pris le temps d'installer mon réfugié dans une vieille boîte à chaussures tapissée de coton et de lui proposer de la mie de pain trempée dans du lait. Mais il n'a rien voulu avaler. Étienne et Marcel avaient préparé leurs instruments dans l'ate-lier et en m'attendant ils discutaient avec papa qui trifouillait dans le moteur de la Panhard. Il leur fai-sait visiter la boutique par le menu, un segment de queue de soupape à la main, et il m'a fait penser à un roi superbe avec son sceptre. Le roi de la Panhard, en quelque sorte.

— Te voilà ! Pas trop tôt ! On allait repartir !

J'ai pris prétexte du merle pour expliquer mon retard, alors ils m'ont un peu charrié sur cette ques-tion animale en me rappelant l'histoire des gre-nouilles. J'ai essayé de les impliquer dans mon opération de sauvetage en leur demandant pourquoi le piaf ne voulait rien avaler.

— Il fait sûrement la grève de la faim, a dit Étienne.

Je ne voyais pas trop le rapport.

Je suis allé chercher ma vieille guitare électrique et je l'ai accordée comme j'ai pu, *mi la ré sol si mi*, ou à peu près, de toute façon ça n'avait pas d'impor-tance.

Étienne avait composé un nouveau morceau et j'avais mis des paroles dessus. On a commencé à jouer, mais moi, je n'étais pas du tout dans le coup. J'étais tout mou et j'avais l'impression de tenir entre les mains un vilebrequin plutôt qu'un instrument de musique. Les deux autres se tortillaient dans tous les sens sans se rendre compte de rien, car évidemment ils ne bénéficiaient pas de la même éducation musicale et esthétique que moi maintenant. On a terminé l'enregistrement, car on voulait présenter une maquette à une maison de disques. Ce que je craignais, c'est qu'ils aillent raconter tout ça au collège. De quoi est-ce que j'aurais eu l'air devant Marie-José ? J'aurais préféré me couper la main que de toucher un instrument devant elle. Je leur avais dit qu'il valait mieux ne rien dire de notre activité musico-bazardeuse, parce que ça pouvait créer des jalousies. Eux, ils n'étaient pas trop d'accord, parce qu'ils voulaient faire un concert à la fête du collège un peu avant les vacances de Noël.

— Tu comprends, disait Étienne, la musique, pour emballer les filles, il n'y a pas mieux !

Quand on est sortis de l'atelier, la nuit était complètement tombée, et le froid aussi, sous un ciel tout semé d'étoiles. J'ai pensé que Marie-José devait être encore en train d'astiquer son violoncelle et j'ai presque eu envie d'aller la retrouver au conservatoire. J'ai dit à Étienne et Marcel que je devais aller réviser de la géométrie, car le lendemain on avait un contrôle sur les cônes, les pyramides, les sphères, et toutes ces sortes de choses.

— Nous, on s'en fout des cônes et des pyramides, a dit Marcel, et la boiteuse, un jour, on va lui piquer ses béquilles pour en faire des flûtes traversières, et elle pourra plus venir nous gonfler...

Étienne a éclaté de rire, moi, j'ai haussé les épaules.

— Vous ne comprenez rien, ce n'est pas drôle de porter son bébé mort dans sa jambe droite.

Ils m'ont regardé avec des yeux gros comme des calots. Ils ne comprenaient rien et je me voyais fou dans leurs yeux. J'en admirais encore davantage mon cher Égyptien d'avoir compris ce que j'entendais par là.

Ensuite ils m'ont expliqué que de toute façon l'école ils s'en moquaient, parce qu'ils avaient trouvé leur voie. Un volailler de leur connaissance leur avait expliqué qu'on n'avait jamais pu inventer de machine pour découper les blancs de poulet. On avait donc besoin de découpeurs de blancs de poulet. Mais comme il fallait gagner du temps, les entreprises faisaient défiler les volailles sur des sortes de tapis roulants ; les droitiers découpaient les blancs de poulet gauches, et les gauchers les blancs de poulet droits. Les entreprises manquaient de gauchers et les payaient donc beaucoup mieux. Et Étienne et Marcel étaient tous les deux gauchers. Depuis qu'ils avaient découvert cette filière, ils ne travaillaient absolument plus et leur bulletin du premier trimestre était aussi catastrophique que les précédents.

— Nous, on a un projet professionnel !

Je me suis dit qu'ils manquaient d'ambition ; et que moi j'étais en train de remonter la pente. Et que de l'ambition, je finirais peut-être par en avoir un jour. Un peu.

Ils sont partis sur leur Mobylette dans la nuit. Papa cochait des annonces dans *L'Intermédiaire des chercheurs et des curieux.* Je me suis assis sur le bord du canapé et je l'ai regardé. Pour la première fois je me suis dit qu'il avait des yeux découragés, un visage un peu triste ; je me suis dit que c'était à moi de le protéger, mais sans savoir exactement de quoi. C'était un des premiers moments de ma vie où je me sentais un peu fort et rassuré et que je voyais les autres un peu moins forts que je ne le croyais avant. C'était moins agréable que je ne me l'étais imaginé. On ne se sent pas plus fort finalement, à sentir la fragilité des autres.

J'ai allumé la radio pour écouter les informations ; on parlait d'une catastrophe aérienne en Russie ; le pilote et le copilote s'étaient disputés à cause de l'hôtesse de l'air qui ne savait pas lequel choisir. Total : l'avion avait piqué du nez. Papa a dit d'un ton définitif :

— Ils sont cons, les Russes.

Et il a refermé sa revue. Je suis allé voir mon oiseau. Je l'ai soupesé, il était toujours aussi lourd, et je me suis dit que c'était mauvais signe. Tout de même, en posant ma main sur ses plumes, je le sentais respirer. J'ai dispersé autour de son bec des boulettes de pain, et à ce moment-là j'ai eu l'impression qu'il essayait de me sourire.

Papa est arrivé pour se rendre compte de mes facultés dans le domaine du sauvetage animal.

— Tu avais un animal, toi, papa, quand tu étais petit ?

— Quand j'avais douze ans, mon père m'a ramené un chiot qu'un de ses clients voulait abandonner… et ensuite quand j'ai rencontré ta mère, il était devenu très vieux… Les animaux, c'était pas tellement dans le goût de ta mère, tu sais… surtout les vieux… Il a fallu que je choisisse entre elle et lui…

— Et ensuite c'est elle qui t'a abandonné…

Sûrement alors il avait compris l'amour des bêtes et l'assistance animale.

*
**

Le soir, j'ai pensé à réviser mes math, mais j'ai eu plus de mal que d'habitude, parce qu'on n'avait pas travaillé le problème avec Marie-José l'après-midi.

*** Soit ABC un triangle et soit F la translation qui transforme A en B. Soit I le milieu de [AC]. Soit D et J les images respectives de C et I par la translation F. Démontre que J est le milieu de [BD].

102

Les trois étoiles dans le livre, c'était pour montrer la difficulté de l'exercice. J'ai peiné un bon moment, mais j'ai évité de me décourager, en pensant à Marie-José qui n'aurait certainement pas apprécié. Elle non plus ne se décourageait pas, avec son violoncelle, alors que c'est un instrument très difficile qui résiste beaucoup. Et puis je n'avais pas envie de terminer coupeur de blancs de poulet, surtout gauches. J'ai obtenu une figure un peu bizarre avec des flèches qui partaient dans tous les sens et j'ai démontré comme j'ai pu ce qu'on me demandait.

On avait aussi un poème à apprendre par cœur, mais un poème très triste qu'un poète très vieux avait écrit alors qu'il était prêt à mourir. Ça commençait par : « Je n'ai plus que les os, un squelette je semble » et ça se terminait par : « Adieu chers compagnons, adieu mes chers amis, Je m'en vais le premier vous préparer la place. » Avant, la poésie, ça ne me plaisait vraiment pas et je n'arrivais jamais à apprendre les poèmes que les profs nous donnaient. Et je me disais qu'il fallait être bien tordu pour écrire en s'ajoutant des tas de complications. Mais ce poème-là, je le trouvais beau ; il me faisait penser à mon pauvre merle, rapport à sa situation, et aussi à la musique que jouait Marie-José, qui venait de la même époque. Ce devait être une période très triste, où on devenait aveugle pour un rien. Rien à voir avec celle des mousquetaires.

J'ai été trouver papa pour lui réciter le poème, j'ai pris soin de dire la dernière phrase sur un ton très pathétique, en fermant les paupières comme si c'était moi qui mourais.

— C'est gai, ce qu'on vous fait apprendre ! a-t-il dit. Il exagère, le petit père Ronsard, de nous déprimer comme ça à travers les siècles !

J'ai haussé les épaules.

— Il n'y a pas que des choses gaies. Par exemple, la musique non plus ce n'est pas toujours joyeux. Je ne te parle pas du barouf qu'on fait avec la Chignole, non… Mais le violoncelle, si tu veux, la vraie musique, c'est triste aussi, mais ça fait quand même du bien.

Il m'a regardé un peu amusé.

— Mais, Victor, ton intelligence se développe, ma parole.

J'ai sursauté, parce que ces mots, eh bien, c'était exactement ce que je ressentais au fond de moi. Mais évidemment ça ne se dit pas à soi-même, ces choses-là. Il a dit encore, d'un air songeur :

— C'est vrai d'ailleurs… Je me demande bien pourquoi les choses tristes ça fait du bien à entendre…

— Peut-être qu'alors on se sent moins seul avec les choses de l'existence, et que le plus difficile dans la vie c'est de se croire seul.

— Ça me fait plaisir de voir que tu as une vie intérieure…

Il avait de nouveau son regard amusé.

— C'est à cause de la vie intérieure que devenir coupeur de blancs de poulet gauches ça ne me dit rien du tout. Ni droits non plus. Je me comprends.

Dans la rue, devant la maison, un ouvrier juché sur une nacelle installait les guirlandes lumineuses de Noël.

6

Le lendemain matin, le paysage était poudré de blanc. Le car scolaire dérapait et tout le monde hurlait, comme dans les montagnes russes. Le chauffeur était rouge écarlate, mais on ne savait pas si c'était de colère ou de peur. J'ai lu sur le tableau d'absences que beaucoup de profs avaient eu des difficultés pour parvenir au collège. Haïçam m'a dit qu'on allait manquer la première heure de cours. Il m'a invité dans la loge de son père. J'ai eu l'impression qu'il avait encore grossi et qu'un jour il remplirait la loge complètement, qu'il ne pourrait plus en sortir et serait condamné à y rester jouer aux échecs jusqu'à la fin des temps. Ils en étaient à la cinquième ronde du tournoi de Curaçao 1962.

— Bobby Fischer contre Viktor Kortchnoï, m'expliqua Haïçam.

Par la fenêtre je voyais les autres élèves commencer un bonhomme de neige dans la cour. J'ai cherché Marie-José des yeux, mais elle n'était pas dans le coin.

— Défense Pirc, commenta le père d'Haïçam, jouée pour la première fois à Nuremberg en 1883.

— Tu vois, mon vieux, dit Haïçam en chuchotant, le but du coup est visible : le cavalier blanc se dirige vers b3 et sera chassé par a5-a4, suivi éventuellement de a3, affaiblissant évidemment la diagonale a1-h8, sur laquelle le fou g7 est à l'affût. Évidemment. Rudimentaire, quand même…

— Évidemment ! ai-je ajouté pour ne pas passer pour une andouille. Très rudimentaire.

Dans la cour le bonhomme de neige grandissait.

— Maintenant : 13.g4 ! Cette mesure brutale va renverser la vapeur, mais Kortchnoï va la contrer de manière spectaculaire…

Je me suis dit que les échecs, comme la musique, c'était surtout une question de langage.

Après la partie, j'ai demandé au respectable Égyptien de regarder mon problème de math.

— J'ai dessiné un truc bizarre et ensuite j'ai démontré comme j'ai pu.

— Fais voir.

Il a placé sa copie à côté de la mienne. Et ça donnait ça :

Lui :

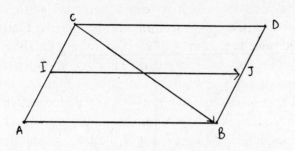

<u>Démonstration</u>

B et D sont les images respectives de A et C par la
translation F. L'image du segment [AC] par la translation
F est donc le segment [BD]. I appartient au segment [AC],
donc son image J appartient au segment [BD].

I est le milieu de [AC], donc IA = IC.
La translation conserve les longueurs, donc JB = IA et
JD = IC.
D'où JB = JD.
Si un point appartient à un segment [BD] et est équidistant
des extrémités B et D du segment, alors ce point est le
milieu du segment [BD].

<u>Conclusion</u> : J est le milieu du segment [BD].

109

Moi :

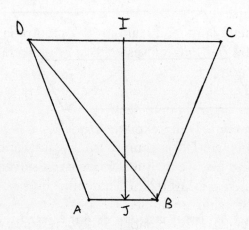

Démonstration

ABC est un triangle dont un côté est invisible.
I est le milieu du segment [BC]. Le côté invisible
[AC] touche le segment ~~[AB]~~ [IJ] et le segment [DB].

Conclusion : J est à peu près le milieu du segment [BD].

Franchement, ça n'avait rien à voir. Ma copie ne ressemblait pas à grand-chose. J'ai remarqué que c'est souvent par comparaison que les erreurs deviennent des erreurs.

J'ai guetté la mine d'Haïçam. Il a montré la copie à son père qui rangeait les échecs, et qui a fait une drôle de grimace.

— Tu as fait ça tout seul ? a demandé Haïçam.

— Oui ! ai-je dit fièrement.

— Ah bon ! Tout s'explique alors.

À ce moment-là, j'ai compris qu'il avait tout deviné pour Marie-José. Je me suis dit que ça ne servait vraiment à rien d'essayer de cacher quoi que ce soit à mon respectable camarade.

— Il faudra lui demander de te faire travailler les translations…

— Pourquoi ? C'est faux ?

— Complètement. Mais c'est assez rigolo. C'est même plus rigolo que la vérité… *Un côté invisible…* Ça, c'est fort quand même !

Il m'a glissé la copie sous le nez.

— Lis-moi ta conclusion, là ; ça doit être une hallucination…

— Eh bien oui, quoi : « Conclusion : J est à peu près le milieu du segment [BD]. » Moi, je trouve que ça a de l'allure.

Haïçam a eu l'air désolé.

— Sache que « à peu près » n'existe pas en mathématiques… Tiens, copie la solution.

Là, j'ai dit le truc à éviter :

— Tu es sûr de ton résultat ?

J'ai eu l'impression que la terre s'arrêtait de tourner et que le bonhomme de neige dans la cour allait fondre d'un seul coup. Le père d'Haïçam a commencé par faire tomber les pièces d'échecs par terre et ils m'ont tous les deux dévisagé comme si j'étais une bête vraiment curieuse. Le père turc de mon copain égyptien a dit avec une voix très froide en mettant ses mains en triangle :

— Parce que tu crois qu'on ne sait pas tracer un vulgaire triangle quand on a bâti les pyramides ?

Je ne savais pas trop s'il plaisantait ou s'il attendait véritablement une réponse, mais il avait l'air de cuire de l'intérieur. Je ne me sentais pas bien du tout et je m'attendais à une colère chimique.

— Ne vous fâchez pas, je plaisantais, évidemment je plaisantais.

— Eh bien, c'est une plaisanterie de mauvais goût. Tiens, prends un loukoum.

Il a réfléchi quelques secondes et il a conclu son silence :

— Merde alors !

Sur ces mots, Haïçam et moi, on a rejoint notre classe. J'ai fait un petit signe à Marie-José dans le rang et ensuite je me suis assis à côté d'elle, comme d'habitude. Pendant qu'on faisait l'appel, elle m'a chuchoté :

— Tu as fait l'exercice de math ?

— Oui.

— C'était pas trop dur ?

— Si, j'ai fait ce que j'ai pu.

— Fais voir.

J'ai hésité, mais la tentation était trop forte et j'ai glissé devant elle la copie repiquée sur Haïçam.

— Bravo ! Tu as fait des progrès surprenants. Bientôt tu n'auras plus besoin de moi.

— Dis pas ça, c'est maintenant qu'il commence, mon besoin.

J'étais rouge comme une tomate, d'abord de lui avoir refilé le problème recopié et ensuite de lui avoir dit ça, et c'était cette fameuse pudeur des bêtes blessées.

Je me suis retourné et j'ai vu au fond de la classe mon respectable ami qui me souriait tendrement malgré tous mes côtés invisibles et mes *à peu près* de la vie. Et j'ai trouvé qu'il ressemblait au bonhomme de neige de la cour.

*
**

À la fin de la récréation, le haut-parleur de l'administration a hurlé que Marie-José et moi on était convoqués au bureau de Lucky Luke. On s'est retrouvés devant la porte et j'ai frappé. Lucky Luke a ouvert et nous a fait asseoir. Il n'avait pas l'air du tout en colère ; ça faisait un moment que nous n'avions pas eu d'anicroches, lui et moi ; M. Alexandre Dumas nous avait rapprochés, et c'était entre nous comme un genre de lune de miel…

— On a un problème ! il a commencé par dire.

— Avec nous ? a demandé Marie-José.

Moi, j'essayais d'en dire le moins possible, car on ne sait jamais.

— Avec vous, oui, mais ce n'est pas votre faute ; enfin en tout cas pas la vôtre, mademoiselle. Victor ?

— Oui, monsieur.

— Je voudrais d'abord que tu me jures quelque chose…

— Oui, quoi ?

— Que tu n'as *en rien* participé aux deux bonshommes de neige de la cour.

— Alors là, je vous le jure sur tout ce que vous voulez… sur la mémoire d'Alexandre Dumas, tiens, même sur la musique de Jean-Sébastien Bach… C'est une preuve, ça, quand même ! Et puis je ne pouvais pas participer aux bonshommes de neige, j'étais avec Haïçam et son père à rejouer Curaçao 1962.

— Curaçao 1962 ? On dirait un nom d'alcool.

Marie-José a coupé la conversation :

— Mais non, c'est un tournoi d'échecs. C'est Petrossian, le spécialiste des positions bloquées, qui a gagné.

— C'est exactement ça, ai-je ajouté pour ajouter. Mais quels bonshommes de neige au fait ?

Lucky Luke était dépassé. Il avait l'air de se demander si c'était bien moi qui étais en face de lui.

— Enfin bon, voilà : il y a deux bonshommes de neige dans la cour. Je devrais plutôt dire un bonhomme et une bonne femme.

Il a écarté le rideau avec une sorte de cérémonie dans le geste. Effectivement. Mon bonhomme n'était plus seul et disposait d'une carotte qui ne laissait aucun doute sur sa nature. Au bout de cette carotte, la touchant presque, les fesses de la bonne femme de neige.

— C'est beau, tiens ! j'ai dit.

Lucky Luke a laissé le rideau reprendre sa place.

— Excusez-moi, a dit Marie-José, mais je ne vois pas en quoi ça nous concerne.

— Ça vous concerne un peu... parce qu'on a récupéré ces cartons autour du cou des deux personnages.

Et il a sorti deux cartons sur lesquels on avait inscrit au marqueur : « Victor + Marie-José ».

J'ai seulement pu dire :

— Les salauds !

Marie-José, elle, a éclaté de rire.

— Victor, tu sais qui ça peut être ?

J'avais bien une idée, mais je préférais la garder.

Marie-José ne pouvait pas s'arrêter de rire. Elle se calmait parfois, puis éclatait de nouveau, c'était plus fort qu'elle.

— Voilà, ai-je dit, en colère, maintenant pour tout le collège on est mariés ensemble…

— Ce sont des gamineries, Victor, a dit Lucky Luke, bien gentiment, ne t'inquiète pas. Mais je te promets que si on trouve le coupable, il sera sévèrement puni.

— J'espère bien. J'ai ma dignité, moi. Si on ne peut plus compter sur l'autorité dans ce collège…

Lucky Luke avait l'air amusé. Il nous a conduits à la porte comme des gens importants. Marie-José était pressée de se sauver, pour aller préparer ses panneaux en vue de son exposé sur le livre qui raconte l'histoire d'Helen Keller, et je me suis retrouvé tout seul avec Lucky Luke.

— Vraiment, j'ai dit, je ne la comprends pas, on dirait que cette affaire, ça ne la concerne pas.

— Elle est sur une autre planète… Tu sais, elle pourrait passer au lycée direct, mais elle est trop jeune et ils n'ont pas voulu d'elle…

— Pourquoi est-ce qu'elle n'a pas été dans une école spéciale, pour les gens comme elle qui ont du génie ? j'ai demandé.

— Je ne sais pas, on le lui a proposé et ses parents étaient d'accord, mais pas elle. Elle préfère passer un concours pour entrer dans une école de musique très réputée et ultra sélective.

— La grande classe, quoi !

D'un seul coup j'ai cru qu'il allait éclater de rire. Je me suis dit, ça y est, il se fout de ma gueule.

— Je ne savais pas que tu en faisais, toi aussi, de la musique.

Ma mâchoire s'est décrochée, à cause de la surprise.

— Comment est-ce que vous savez ça ?

— Étienne et Marcel sont passés ce matin me demander si vous pouviez faire un concert pour la fête du collège.

— Et alors ?

— Et alors j'ai dit oui. Pour une fois qu'ils se font remarquer dans le bon sens. On va donc assister aux débuts de Victor le *guitar hero*... C'est quel genre, votre groupe ?

— Genre bordel métallique à ressorts, si vous voulez savoir. C'est dans combien de temps, la fête du collège ?

— Dans une quinzaine de jours, juste avant les vacances de Noël.

La sonnerie s'est mise à hurler.

— Faut que j'y aille, j'ai dit.

— J'ai quelque chose à te demander avant... Tu es sûr qu'Alexandre Dumas, il l'a écrit tout seul, son livre sur les trois mousquetaires ?

— Et pourquoi non ?

— Parce qu'il y a de drôles de rumeurs à ce sujet. Et c'est drôlement long... Et comme il en a écrit des dizaines de ce tonneau, je me disais...

— J'en sais rien. Je me renseignerai si vous voulez.

— Oui, parce que, tu comprends, ça me gâche ma lecture, ce doute.

Je suis sorti et je me suis dirigé vers les escaliers. Mais j'ai eu une idée, alors j'ai rebroussé chemin et j'ai frappé de nouveau au bureau de Lucky Luke. Il s'était déjà installé bien au fond de son fauteuil, avec les pieds sur son bureau et *Les Trois Mousquetaires* devant le nez.

— Dites-moi, monsieur, pour l'histoire des bonshommes de neige, vous êtes bien d'accord qu'on ne peut pas laisser passer ça ? Sinon tout est permis et tout fout le camp…

— Ça fait drôle d'entendre ça dans ta bouche, mais bon, je suis d'accord.

— Si pour me venger je supprime le papier dans les toilettes des garçons… vous ne me direz rien ?

— J'essaierai de fermer les yeux, mais à la première occlusion intestinale je serai obligé d'ouvrir une enquête.

Occlusion : *Oblitération d'un conduit ou d'un orifice. Occlusion intestinale, déterminant l'arrêt du cours des matières contenues dans l'intestin.*

Ça leur ferait les pattes, tiens, pourtant !

*
* *

Je suis arrivé en cours de français avec un peu de retard, mais vu mes progrès et mon récent intérêt

118

pour la matière, on ne pouvait pas trop me faire de reproches. Marie-José préparait toujours les panneaux de son exposé, avec des photos, des citations et des encadrés un peu partout.

Je me suis assis et elle a commencé à nous parler d'Helen Keller, qui était une petite fille américaine tout à fait normale, même très jolie. Jusqu'à dix-huit mois. Là, elle était tombée gravement malade à cause de la fatalité, et total : elle ne voyait ni n'entendait plus rien. Évidemment dit comme ça, ça ne paraît pas grand-chose, et je m'étais même dit que Marie-José prenait des risques, parce que ce genre d'histoire, les garçons de ma classe, ça les faisait plutôt marrer. Mais elle avait pris une telle voix et un tel ton que ça leur a plutôt fichu la chair de poule, et je vous assure que personne n'avait envie de rire ni de se moquer, à cause de l'ambiance tragique. L'expression qui m'est alors venue, c'est qu'elle tenait la classe « au bout de son doigt », et même j'étais assez content de cette trouvaille. En même temps on avait l'impression qu'elle allait se casser en deux au milieu de ses phrases, et on ne savait plus si elle montrait une grande force ou une extrême faiblesse ; ainsi elle nous a bien montré Helen, qui s'était retrouvée dans le silence et la nuit jusqu'à ce qu'elle rencontre une institutrice spécialement engagée par ses parents. Surtout, ce qu'il y avait de curieux, c'est que pour illustrer son exposé elle jouait de petits morceaux de musique sur son violoncelle ; elle disait que c'était pour représenter les états d'âme d'Helen Keller et pour nous faire imaginer ce que ça pouvait être que de se retrouver dans la nuit et le silence, et alors on avait l'impression que l'instrument hurlait seul dans l'obscurité. Je ne me souvenais pas de les avoir déjà entendus, ces petits morceaux de musique, parfois on avait l'impression que les notes se cassaient la figure, comme des oiseaux qui tomberaient d'un fil électrique. Ce n'est pas compliqué : ça nous filait le frisson ; j'ai regardé la prof, elle était dans un coin de la salle avec la main devant la bouche, et semblait se retenir de crier ou de pleurer. C'était un silence solennel et religieux à faire peur. Grâce à cette institutrice, Helen avait commencé à faire des progrès, elle avait appris à *taper* des mots dans la main de ses parents, et quand elle avait tapé « papa » dans la main de son père, eh bien, il s'était mis à pleurer. Normalement ce genre de remarque, c'est de première pour transformer une classe en tribu de Cro-Magnon, mais là, c'était à peine croyable, les garçons étaient tétanisés, les filles aussi, tous paraissaient suivre les lèvres de Marie-José, ou l'archet qui glissait sur les cordes, comme le funambule sur le fil de fer. Parfois Marie-José baissait la voix, si bas qu'on faisait tous un effort pour suivre sur ses lèvres, et moi, j'ai bien compris qu'elle nous mettait encore à la place d'Helen. Finalement, l'institutrice avait si bien travaillé qu'Helen était parvenue à passer un concours très difficile qu'aucune jeune fille n'avait osé envisager avant elle. Ensuite elle avait sillonné tout le pays pour expliquer qu'il faut aider les enfants aveugles et sourds en raison d'un sentiment qui s'appelle la compassion. Pour finir, Marie-José a récité une sorte de poème bizarre d'un type qui disait que les voyelles avaient des couleurs. Elle entrecoupait chaque strophe de coups d'archet très violents qui lançaient des éclairs atomiques. Évidemment tout le monde était soufflé, mais moi, c'était spécial, j'avais un peu l'impression d'être associé à cette promenade poétique, comme si nous l'avions faite main dans la main. Et à la fin de cette promenade, j'ai repensé à ce que j'avais dit à Marie-José l'heure d'avant, que mon besoin d'elle, il commençait maintenant.

Elle a terminé le poème juste avant la sonnerie. La prof a eu le temps de bafouiller qu'elle ne pouvait rien dire pour le moment, qu'on avait tous besoin de se remettre, mais qu'elle n'avait jamais reçu un si beau coup de poing dans le ventre. Je me suis dit qu'elle avait raison : il y a des fois où l'art, ça ressemble à un ring de boxe où vous prenez des coups qui vous élèvent tout en vous mettant KO.

On est tous sortis dans le couloir un peu sonnés.

— On a l'impression que vous sortez d'une tornade, m'a dit Étienne, vous vous êtes reçu un savon ou quoi ?

J'en ai profité pour lui demander des explications concernant le concert prévu pour la fête du collège. J'étais de moins en moins disposé à me produire devant Marie-José, mais ça, je n'étais pas près de l'avouer.

121

— Faudra vous passer de moi ! j'ai dit.

— Tu peux pas nous faire ça.

On a commencé à descendre l'escalier plein de monde.

— Et pourquoi, s'il te plaît ?

— Parce que tu peux pas foutre des mois de travail par terre. Et puis on s'est engagés vis-à-vis de Lucky Luke. Un groupe, c'est un groupe.

On est arrivés dans la cour, où demeuraient les deux bonshommes de neige. Les élèves tournaient autour comme des Sioux. Évidemment le Métro ne pouvait pas comprendre qu'en ce qui concernait la musique, maintenant, je me situais différemment, comme dans un autre monde. Je disposais à présent d'une éducation esthétique qui me faisait voir les choses sous un autre jour. Une autre musique existait, comme venue d'une autre planète, lointaine et inaccessible, qui vous gonflait le cœur. Je voulais bien continuer à faire du boucan avec le Métro, vu que je n'étais pas capable de faire mieux, mais je préférais qu'on garde tout ça pour nous.

Étienne m'a encore parlé du concert et il a suggéré qu'on s'habille tous les trois en blanc. Marcel est arrivé, il avait l'air catastrophé. Il nous regardait, angoissé, comme si un grand danger le guettait.

— Vous savez quoi ? il a demandé.

— Non.

— IL a encore planqué le papier toilette !

J'ai pris une expression scandalisée, bien sûr, et j'ai dit :

— Ça faisait longtemps ! Je me demande bien qui ça peut être…

— Je suis sûr que c'est une fille, a dit Marcel. Un truc si vicieux, ça vient forcément d'une fille !

— On va encore en baver !

— Il y a risque d'occlusion ! ai-je dit pour épater le monde.

— De quoi ?

— D'occlusion. Intestinale, même !

— Qu'est-ce que c'est ?

— Vous avez qu'à chercher dans le dictionnaire à la lettre *o*. Avec deux *c*.

Ensuite je n'ai plus rien dit, car une boule de neige est venue s'écraser sur mon nez. J'avais un mal de chien, comme si j'avais reçu une pierre. Mon nez s'est mis à semer des gouttes rouges qui s'écrasaient sur la neige. J'ai tout de suite remarqué le grand type qui riait à côté des bonshommes de neige : un gars de troisième qui promenait partout et fièrement sa face de brute, minuscule et écrasée en même temps. Je ne l'avais pas pris dans la Chignole, et depuis il m'en voulait à mort et me cherchait à la moindre occasion. Déjà, il m'avait tourné autour dans les couloirs et dans la cour, mais j'avais toujours réussi à me tenir à distance et à garder mes poings dans les poches. D'un seul coup ça m'a paru évident, que les bonshommes de neige, ça venait de lui ; j'avais eu raison de le soupçonner dès le début. C'était clair. Je me suis demandé si je n'allais pas aller trouver Lucky

Luke tout de suite, mais quand l'autre en face en a rajouté en lançant des choses pas drôles sur Marie-José et moi, eh bien, j'ai vu rouge : ça a été le réchauffement climatique immédiat. J'ai traversé la cour à fond de train en semant des gouttes rouges comme le Petit Poucet, et dans les doigts me sont revenus les frissons du temps ancien où je faisais de la boxe. J'ai entrevu Haïçam qui tendait une grosse paluche pour me retenir, j'ai entendu Étienne qui hurlait : « Fais pas le con ! », mais il n'y avait rien à faire, j'étais lancé comme une torpille. Je me suis jeté au cou du type en lui ceinturant très fort le ventre de mes cuisses. Il s'est mis à gueuler comme un goret qu'on transforme en boudin. Je voyais ses boutons rouges de très près et j'ai eu le temps de penser que c'était bien dégoûtant. On est tombés par terre comme ça, il essayait de se dégager, mais je tenais bon, avec mes cuisses en tenaille. J'ai bien cru que j'allais le couper en deux. Finalement, j'ai vu une de ses oreilles passer devant mes yeux, et je l'ai mordue d'un grand coup de dents. Ensuite je l'ai lâché.

— Il m'a bouffé l'oreille, ce con !

— Et lui, il m'a pété le nez ! Et une dent aussi, ce taré !

J'exagérais un peu, mais je voulais montrer que moi aussi j'avais subi des préjudices, et encore je ne comptais pas les préjudices moraux.

Total : on a fini par être emmenés, lui par un surveillant vers l'infirmerie, et moi par mon Égyptien jusqu'à la loge de son père. Haïçam m'a fourré du coton dans le nez et je ressemblais à une tête de veau aux naseaux bourrés de persil. J'avais une voix de canard. Je reprenais un peu mes esprits. J'ai repensé à la question que m'avait posée Lucky Luke.

— Haïçam, j'ai quelque chose d'important à te demander.

— Vas-y, mais je vais avoir du mal à te prendre au sérieux avec ton allure.

— Est-ce que tu sais, toi, si Alexandre Dumas les écrivait tout seul, ses livres, ou bien s'il avait des collaborateurs ?

Il a paru étonné et a levé les sourcils. Il a pris le temps de ranger le paquet de coton dans une petite armoire à pharmacie.

— Une vie ne suffirait pas à les *copier*, tous ses livres. Il devait avoir de nombreux collaborateurs, et sûrement même des nègres.

— Des nègres ?

— Oui, des gens qui écrivent les livres à la place de celui qui signe. C'est très courant en littérature.

— Mais alors si c'est un écrivain qui est déjà noir, on dit qu'il a un *blanc* pour écrire à sa place ?

— Pourquoi tu compliques toujours tout ?

Il avait raison. Je compliquais toujours tout.

Il a réfléchi.

— Et d'ailleurs c'est vrai que c'est un peu compliqué, vu que ton Alexandre Dumas, il avait du sang noir dans les veines. Pas beaucoup, mais un peu.

125

— Alors tu vois bien que les choses sont compliquées, j'ai dit en haussant les épaules.

J'étais moyennement crédible, à cause des touffes de coton qui me sortaient des narines.

Ensuite Lucky Luke est venu me chercher et je l'ai suivi jusqu'à son bureau.

Je me suis assis à la même place que lorsqu'il nous avait convoqués, Marie-José et moi, le matin même.

— Tu as de la chance !

— Vous trouvez ? ai-je dit en montrant mon coton dans le nez, qui me faisait loucher. Une chance pas possible !

— Oui. Si ton amie Marie-José n'était pas venue parler à la principale, je crois bien que tu étais bon pour un renvoi…

— Elle a fait ça ?

— Oui. Et pour expliquer ton agressivité, elle nous a donné ça : c'était dans la boule de neige.

Il a ouvert son poing et a fait sauter une pierre dans sa paume, comme une balle de tennis.

— Légitime défense, alors ?

— Si on veut… mais pour l'oreille, tu recevras quand même un avertissement.

— Excusez-moi si je change de sujet, mais je me suis renseigné sur Alexandre Dumas.

Son œil s'est allumé, comme si on abordait enfin un sujet sérieux.

— Alors ?

126

— Alors les choses sont un peu compliquées, selon mes sources. Mais enfin, pour résumer, je peux vous dire que tous ses livres, eh bien, il les a écrits seul. Tout seul du début à la fin. Pas le genre à avoir des nègres, même s'il était un peu noir ! Enfin, je me comprends.

— J'en étais sûr. Ça, c'est un type ! Pas un de ces petits constipés d'aujourd'hui qui veulent le prix Nobel parce qu'ils se sont arraché cent pages aux forceps.

*
* *

Je suis arrivé à la maison avec la tête comme une citrouille. C'était toute l'armée Rouge qui défilait là-dedans au pas de l'oie, avec toute l'artillerie et l'aviation qui suivaient. J'ai quand même visité mon merle dans sa boîte à chaussures. Les boulettes de mie commençaient à disparaître petit à petit. C'était bon signe. Il devait les becqueter quand personne ne le voyait. J'en ai déduit que les merles, ça a de la pudeur. Je l'ai pris au creux de la main. J'ai eu l'impression d'avoir dans la paume un petit cœur portatif. C'était tout léger et très lourd en même temps, une impression qu'on ne peut pas bien expliquer. Papa m'a préparé de l'aspirine et je me suis allongé sur le divan, sous une couverture, pendant qu'il préparait *L'Intermédiaire* du mois suivant. Ensuite on a allumé la télévision, sur une chaîne culturelle, car maintenant, avec l'éducation que j'avais, et aussi avec l'ouverture artistique dont je bénéficiais grâce à Marie-José, je n'avais plus le droit de me laisser aller.

C'était une soirée consacrée à la Deuxième Guerre mondiale, et spécialement aux déportations des Juifs, qu'on avait placés dans des sortes de camps pour les faire travailler, et ensuite les tuer. On voyait des populations entières sortir des maisons et se diriger en colonnes surveillées vers des gares où on forçait tout le monde, les hommes, les femmes, les enfants, à grimper dans des wagons, et direction je sais pas où. J'ai cherché à m'informer auprès de papa. Je lui ai demandé si tous ces gens, ils savaient ce qui les attendait ; et pourquoi ils ne s'étaient pas sauvés.

— Ils pensaient sûrement qu'on allait se contenter de les faire travailler, a répondu papa, ils ne se croyaient pas autant en danger. Qui aurait pu imaginer ?

— Mais, papa, d'abord travailler pour rien, c'est déjà pas terrible… Et ensuite tous ces gens, ils avaient bien dû se rendre compte qu'on ne les aimait pas, quand même…

— À force de recevoir des coups de crosse et *tutti quanti*, ils avaient bien dû finir par se rendre compte. Mais ils ne pouvaient pas imaginer qu'on allait les supprimer comme ça. Pourquoi est-ce qu'ils auraient imaginé ça, puisqu'ils n'avaient rien fait ? Et puis, tu sais, dans les ghettos, ils mouraient de faim et c'était la jungle totale...

— Les ghettos ?

Papa a tendu le doigt vers le dictionnaire posé sur la table. J'ai compris l'incitation. J'ai cherché... Ghetto, ghetto... voilà :

Ghetto : *Quartier juif, quartier où les Juifs sont forcés de résider.*

— Ils n'étaient pas plus naïfs ni plus dociles que les autres, mais quand on leur a dit qu'ils seraient mieux dans des camps spécialement conçus pour eux que dans ces ghettos, eh bien, beaucoup l'ont cru. De toute façon quel choix ils avaient ?

Je plongeais la tête la première dans le passé lointain. J'ai repensé à mon grand-père, qui venait de l'est, lui aussi. Et je me suis dit que les images qui défilaient sur l'écran de télévision, c'étaient tous les dangers auxquels il avait échappé en débarquant en France juste avant la guerre.

— Papa, tu crois que c'est de ce coin de l'Europe que grand-père est arrivé ?

— Oui, pas très loin... Il a quitté la ville de Lemberg, en Galicie, pour échapper aux pogroms ; ensuite il a traversé la Pologne, la Hongrie, la Roumanie...

Je suivais des yeux le doigt de papa qui, dans le vide, traçait le trajet de grand-père à travers l'Europe.

— Des programmes ? Des programmes de quoi ?

— Des pogroms, banane. Des persécutions, si tu veux.

— Et il y a échappé, ton père, grâce à son voyage vers l'ouest ?

— Oui, il s'est sauvé.

— Il a suivi le soleil, grand-père, hein, c'est comme ça qu'il s'en est tiré !

J'étais assez fier d'avoir eu des ancêtres qui se tiraient des pièges en s'arrimant au soleil. J'ai trouvé que c'était une façon très distinguée de se garder en vie.

Papa commençait à feuilleter le manuel Krebs, mais j'avais envie de rester encore un peu en sa compagnie à évoquer les choses du passé.

— Dis-moi, papa, grand-père, il t'en a parlé, de ce voyage et de son arrivée en France ?

Papa a posé le manuel sur ses genoux.

— Il restait très discret sur cette errance, parce que sa manie, c'était de vouloir paraître plus français que les Français. Il se gavait de bœuf bourguignon et de cassoulet pour oublier la carpe farcie et le chou rouge de sa vie à l'Est.

— C'était un rescapé des grandes catastrophes en quelque sorte ?

— Oui, un rescapé. C'est exactement ça.

— Et nous aussi, papa, on est un peu des rescapés dans le fond.

Il a souri en penchant la tête sur le côté, puis s'est plongé dans sa bible Krebs. Avant de sombrer dans le sommeil, et bercé par les images saccadées qui défilaient toujours dans ma tête, j'ai pensé que moi, grâce à Marie-José, j'étais aussi un rescapé de la scolarité. J'ai rêvé que je me trouvais sur un grand paquebot désert. Je marchais sur un pont immense et très bien ciré. Brusquement j'étais face à un troupeau de bœufs, comme ça, à l'air libre, mais cerné par des barbelés. Ensuite une sirène s'est mise à hurler et je me suis retrouvé à me pencher au-dessus du bastingage vers une bête qu'on avait jetée dans une mer toute plate, immobile et luisante comme du plomb fondu. J'ai cherché du regard une bouée à lancer au bœuf qui était en train de couler, mais pas vraiment comme dans de l'eau, plutôt comme dans du sable ou de la boue. Je me suis alors rendu compte que la bête qui était en train de disparaître n'avait plus d'yeux, seulement deux trous rouges.

Je flottais dans les bras de papa qui me portait dans ma chambre et j'ai préféré ne pas me réveiller tout à fait. J'ai tout de même eu le temps de penser que c'était bientôt mon anniversaire et que la vie pouvait quand même être douce, peut-être.

7

Il faut bien dire quand même que mon coup d'éclat de l'autre jour, dans la cour, ça m'avait donné comme qui dirait une sorte de stature dans le collège. C'est pas tous les jours qu'on bouffe une oreille pour sauver son honneur. Heureusement, ça n'avait pas été trop grave, il avait simplement fallu recoudre le lobe qui pendouillait, et comme on avait dû ensuite protéger l'oreille pendant deux semaines avec un gros pansement, j'avais surnommé la brute Van Gogh. J'ai eu l'impression que même les profs se mettaient à me considérer d'une autre façon, d'un peu moins haut peut-être, davantage à l'horizontale, et plus sérieusement. Évidemment maintenant, pour tout le collège, Marie-José et moi, on était mariés, avec une grosse maison, deux voitures et trois enfants dedans. Comme on me savait un peu chatouilleux et qu'on tenait à ses oreilles, personne n'osait trop nous taquiner sur l'intimité qu'il y avait entre nous. Un jour que j'étais avec Haïçam dans la loge, il m'a dit quelque chose qui m'a fait plaisir et qui aurait dû m'intriguer :

— Quand même, c'est fort, ce qu'elle a fait…

Et il a ajouté :

— Marie-José, elle a trouvé le truc pour te rendre plus *vivant*.

Mais il était incorrigible et, en regardant d'un air distrait l'échiquier, il a murmuré :

— Tiens, c'est bizarre…

— Qu'est-ce qui est bizarre, encore ?

— Eh bien, tu te souviens de la finale Rubinstein-Tarrasch en 1922, une défense hollandaise ?

— Évidemment que je m'en souviens, j'ai dit pour jouer le jeu.

— Je ne m'étais jamais aperçu qu'en jouant h8 au vingt-sixième coup Rubinstein gagnait une pièce par De7. C'est idiot, non ?

— C'est vraiment impardonnable de ta part.

Il m'a souri des yeux derrière ses grosses lunettes. Il était immense dans cette petite loge, comme une sorte de créature légendaire, et je me suis dit que, peut-être, il prendrait la place de son père et y resterait toute sa vie. Papa avait bien repris le Canada à la suite de son père. Et moi, je pouvais aussi suivre les mêmes rails. Je me suis soudain souvenu du dessin symbolique d'Haïçam que j'avais retrouvé dans mon sac le jour de la rentrée – un pommier avec de grosses pommes rouges tout autour du tronc. Je me suis souvenu qu'il me l'avait donné, ce dessin, en me disant :

— La pomme ne tombe jamais très loin du pommier.

— Qu'est-ce que tu veux dire par là ? j'avais demandé.

— C'est une parabole, tu comprendras plus tard.

— Une antenne de télévision ? Tu plaisantes ?

— C'est toi, la pomme, cherche dans le dictionnaire, tu comprendras.

Le soir, j'avais suivi son conseil :

Parabole : *Manière détournée et obscure de parler de quelque chose ou d'enseigner une vérité.*

Je comprenais surtout que c'était bien obscur, oui, pour le reste je ne voyais pas du tout où mon cher Égyptien voulait en venir avec son pommier et ses pommes.

Haïçam, il allait toujours chercher les idées très profond, là où on n'aurait jamais pensé, et ensuite il trouvait les mots qui correspondaient exactement à cette profondeur. Ce qu'il avait dit, là : « Elle a trouvé le truc pour te rendre plus vivant », c'était précisément ce que je ressentais. Je n'étais pas devenu « plus intelligent », comme avait dit papa, et comme j'avais cru, mais « plus vivant », ce qui est beaucoup plus important. Parfois, par exemple quand je sortais de chez Marie-José, il me semblait que je n'avais jamais ouvert les yeux tout à fait et c'était comme un genre de mise au point sur les choses et le monde, comme si jusque-là j'avais disposé d'un objectif mal réglé.

*
* *

Les choses ont encore continué quelque temps comme ça, je finissais par être vraiment à l'aise dans certaines matières, je participais même en classe et je faisais des remarques d'ordre culturel pour illustrer le cours. Le plus souvent, c'était Marie-José qui me les avait soufflées pendant qu'on travaillait chez elle, mais je pense que seul mon cher Haïçam devait s'en douter. Ce qui me tracassait, c'était l'approche de la fête de Noël et du concert de la Chignole. Heureusement qu'Étienne et Marcel tenaient à garder le secret sur l'identité des membres du groupe. En tant que spécialistes des idées à deux balles, ils avaient barbouillé une affiche avec trois musiciens qui se découpaient en ombres chinoises et dont les visages étaient remplacés par un point d'interrogation. On en voyait partout dans le collège, et un jour que je passais devant l'une d'elles avec Marie-José, elle m'a demandé :

— Tu sais de quel genre de musique il s'agit ?

— Du rock, sûrement, ou quelque chose du genre…

— Tu vas sûrement te moquer de moi… mais pour mes oreilles, c'est une vraie torture d'écouter ce genre de choses. C'est comme les pieds de mouton, ça ne passe pas. Tu aimes ça, toi ?

— Les pieds de mouton ou les groupes de rock ?

— Les deux.

J'ai bien pensé tout déballer et lui faire savoir qu'elle avait devant elle le membre fondateur de la Chignole, guitariste et chanteur par-dessus le marché, mais finalement je me suis dégonflé et j'ai répondu :

— Les pieds de mouton, j'ai jamais goûté. Pour les rockers, c'est tous des rigolos. Moi, la musique où il n'y a pas de solfège à apprendre, eh bien, je n'y crois pas. C'est comme la natation sans eau, tiens ! Ou l'élastique sans le saut !

J'aurais dû saisir l'occasion pour tout lui avouer et sûrement elle se serait un peu moquée de moi, ou peut-être même pas, en tout cas ça n'aurait pas été beaucoup plus loin.

Cette question du concert organisé par Étienne et Marcel commençait à me tracasser sérieusement. Ils voulaient qu'on entre sur scène déguisés en Zorro et qu'on balance nos masques dans le public sur les premiers accords d'une chanson intitulée *Casser des briques*, paroles et musique de moi. Ils trouvaient cette idée grandiose, mais moi, je me demandais s'il n'y avait pas quelque chose de honteux à brancher tout ça sur du 220 volts et à se mettre à gesticuler comme si on avait une pile dans le cul, excusez-moi, alors que pendant des siècles des génies s'étaient creusé la cervelle et usé la vie, même les sourds et les aveugles, pour organiser les sons entre eux de façon que ça tienne à peu près debout.

Je réfléchissais à tout ça pendant le cours de sport du vendredi après-midi. J'avais le temps, car nous devions faire de la course d'endurance. Et endurer, ça invite à la réflexion, c'est mon avis. J'avais décidé d'ignorer les platanes derrière lesquels je me cachais autrefois, même si ça me coûtait. Parfois je me retournais pour voir si mon cher Haïçam tenait le coup. Je le voyais, énorme au milieu de la piste, tout suant, à allonger de pénibles foulées en soufflant péniblement. Il plissait ses petits yeux derrière ses lunettes couvertes de buée. Il me faisait de la peine, mais lui gardait un grand sourire et soulevait sa grosse patte dans ma direction quand je me retournais, avec l'air de dire que tout allait bien malgré les épreuves et que nous allions bientôt nous retrouver. J'allais aborder comme une fusée le dernier virage, quand j'ai vu Marie-José qui marchait en sens inverse, sur la pelouse à côté de la piste. Je lui ai fait un signe de la main, mais rien, aucune réaction. Pourtant j'étais certain qu'elle regardait vers moi. Je me suis demandé si j'avais pu la froisser, ou si on l'avait renseignée sur ma participation au concert, ou encore si Van Gogh n'avait pas été baver sur mon compte, c'était bien dans ses cordes. Dans ce cas-là, j'allais lui bouffer sa deuxième oreille et on n'en parlerait plus. Après le cours, je me suis dépêché de me rhabiller et me suis précipité vers la sortie.

J'ai fini par la rattraper au bout du chemin. Je lui ai demandé :

— Tu es fâchée ?

— Tiens, non, pourquoi ?

— Parce que tout à l'heure tu es passée à côté de moi, je t'ai fait un signe et… j'ai eu l'impression d'être un inconnu !

Elle avait un drôle de regard, comme transparent et opaque en même temps, et j'ai pensé aux yeux des animaux empaillés que j'avais pu voir au Muséum d'histoire naturelle. De sa poche elle a sorti un tout petit paquet cadeau.

— Voilà, c'est pour ton anniversaire ! Tu vois bien que je ne suis pas fâchée.

Je l'avais complètement oublié, celui-là. J'avais treize ans. J'étais ému. J'ai cherché une référence historique ou quelque chose d'un peu élevé, mais je n'ai rien trouvé du tout.

— Ouvre-le.

Une réplique en modèle réduit de la Dyna 1954. Tout y était : le volant à trois branches, le monogramme Dyna tarabiscoté et plaqué à l'avant, les essieux cintrés et articulés sur un Silentbloc, les longues coutures parallèles des banquettes. J'ai regardé Marie-José et je me suis demandé si je n'allais pas me mettre à chialer comme ça, d'émotion.

— Elle te plaît ?

Il fallait qu'elle arrête, sinon je n'allais plus me tenir. Je n'avais plus qu'une seule envie : filer ventre à terre dans ma chambre pour cuver mon émotion à mon aise avec la Dyna contre mon cœur et seulement papa comme témoin, parce que lui, c'est pas pareil.

J'ai tout de même réussi à bafouiller :

— Je crois que rien ne m'a jamais autant fait plaisir ! Est-ce que tu sais que les ingénieurs ont fait une erreur sur cette Dyna ? Le cendrier chromé... tu le vois, là, sur le côté droit du tableau de bord... eh bien, il se reflétait de façon gênante dans le pare-brise... Et personne ne l'a achetée...

— Seulement à cause de ça ? Tiens, j'ai oublié de te dire aussi que mes parents t'invitent à manger demain midi.

*
* *

— Pas seulement... m'a dit papa le soir même. D'abord la publicité annonçait six places, alors qu'on pouvait tenir confortablement à quatre, voire à cinq, mais pas davantage...

Il tenait la petite Dyna au centre de sa paume et la faisait tourner tout doucement.

— Et puis, a-t-il repris, la boîte de vitesses n'était pas extraordinaire, il fallait décomposer les manœuvres et éviter de trop monter en régime. La direction avait aussi de drôles de réactions dans les virages serrés, et quand on freinait, ça vibrait de partout. Mais c'est un beau modèle réduit que tu as là.

Il est très fidèle… Regarde, ils ont même reproduit l'éclairage sous le capot. Je me demande où ton amie a pu le dénicher. C'est une pièce de collection !

J'ai bien cru que j'allais éclater de fierté. La vapeur me sortait de partout, avec la sirène à chaque battement de cœur.

— D'ailleurs moi aussi, j'ai un cadeau pour toi. Peut-être pas aussi beau, mais un cadeau tout de même.

Il m'a tendu un sac en papier.

— Excuse, mais je ne suis pas très fort pour les paquets… Allez, ouvre-le !

Un nécessaire à rasage à l'ancienne, tout chromé : le rasoir, le blaireau, le savon à barbe, une lotion contre le feu sur les joues. J'étais un peu surpris.

— Merci, papa, c'est un très beau cadeau.

— Il te plaît ?

— Oui, papa.

— Va l'essayer tout de suite, si tu veux ; beaucoup d'hommes se rasent le soir… Surtout quand ils vont bourlinguer dans la nuit…

J'ai compris que le moment était venu, qu'enfin il allait m'emmener dans la Panhard pour livrer ses clients.

J'ai donc tâché de couper ce qui dépassait, un petit couic de rien du tout. Mais petit couic deviendra grand, me suis-je dit. Je me suis enduit de la lotion apaisante pour faire comme si, et je suis ressorti tout brillant de la salle de bains. Un homme rasé, c'est tout de même autre chose. Mon père m'a regardé d'un air très sérieux.

— Tu sais que chez les Juifs on devient un homme à treize ans ?

— Mais on n'est pas juifs, papa.

Il a semblé réfléchir et se poser des questions.

— De toute façon treize ans, c'est un bon âge pour devenir un homme, juif ou pas.

— Sûrement.

— On y va ?

— Oui, papa.

Il a pris son cahier où il notait les noms et adresses des clients et nous sommes partis à bord de la PL 17. J'avais l'impression de m'embarquer à bord d'un paquebot pour un long voyage. Nous avons ainsi traversé la nuit vers le nord. Des zones désertiques piquées, çà et là, d'un essaim de tours. Des terrains vagues mis bout à bout, des entrepôts abandonnés… Corbeil… Ris-Orangis… Savigny… Juvisy… Athis-Mons… Thiais… Petit à petit s'est étoffée la pelote citadine. Des bâtiments, des potagers ouvriers, un grand hôpital tout debout. D'un seul coup ce fut la grande ville, qui me parut un cœur rouge fatigué… À partir de ce moment-là, je n'ai plus bien su où nous étions, ni même qui nous étions véritablement, et le temps et les années, alors là… Mon père tisonnait le levier de vitesses… Il avait l'air sûr de lui, mais j'avais pourtant l'impression que nous nous égarions, que nous repassions plusieurs fois au même endroit… Je songeais parfois au repas chez Marie-José et j'avais l'impression qu'on allait me faire passer le bac. Les feux rouges dans la nuit... les rues désertes... comme si nous étions dans une ville abandonnée. Parfois un groupe sortait d'un café ou d'un restaurant et on entendait un rire strident qui se diluait dans la nuit. Soudain, papa arrêta la grosse Panhard. Nous avons marché côte à côte pendant quelques minutes et nos pas résonnaient sur le pavé. Il s'est arrêté brusquement, m'a donné un coup de coude et a levé une main pour désigner le nom de la rue : rue de l'Échiquier. C'est là que son père avait installé le fameux Canada.

— Mais pourquoi le Canada, papa ? Parce que c'est encore plus à l'ouest ?

Il m'a expliqué que dans les camps, du temps des persécutions, certains prisonniers récupéraient tout et n'importe quoi. Et ce trésor caché dans un endroit secret, ils l'appelaient le Canada. Papa s'est arrêté devant un imposant rideau de fer, puis s'est baissé pour essayer de le soulever. Rien à faire, il restait bloqué. Papa s'est mis à faire des efforts, à tirer de toutes ses forces, et à ce moment-là je me suis dit qu'un jour il me quitterait et qu'alors je me trouverais seul face à un mur de fer, mais qu'il faudrait quand même continuer à vivre, même couturé de souvenirs. Le présent, c'est surtout du souvenir en préparation, et c'est ce qu'on appelle la mélancolie.

— Est-ce que je peux t'aider, papa ?

Il était encore baissé, essoufflé. Il s'est retourné et il m'a regardé avec un drôle d'air. Je n'aurais su dire si son regard était d'une extrême douceur et s'il était ému, ou bien si, au contraire, il m'en voulait de ma proposition.

— Si tu veux… Accroche-toi ici et tire avec moi… 1… 2…

À 3, le rideau était tout en haut, soulevé comme une plume. Papa m'a souri. Mais moi, j'avais un drôle de sentiment, j'aurais finalement préféré qu'il y arrive tout seul, à le soulever, son machin. Je me suis dit que je n'avais décidément rien dans le crâne.

— Bravo ! Tu vois : un homme !

Il tenait un pouce en l'air, à sa façon super encourageante.

J'ai fait un sourire tout tordu.

À l'intérieur, c'était une pièce assez étroite et en longueur. Les murs étaient parcourus d'étagères et dessus s'entassaient des cartons de toutes les tailles : le Canada ! Au fond se trouvait un escalier en colimaçon qui reliait l'entrepôt à un « bureau administratif », comme disait papa.

Ce bureau, c'était une table de bois et deux fauteuils déglingués dans une sorte de couloir, avec quelques livres sur une petite étagère et une immense carte de la ville affichée sur un mur. Papa s'est assis dans un des fauteuils et m'a invité à m'asseoir en face. Il a croisé les jambes, a pris un air sérieux et m'a expliqué qu'il aimait cet endroit, où il se sentait en sécurité. C'est là que son père, pendant la guerre, avait fini par se réfugier, à cause des Allemands. Il s'était bien trompé en se croyant en sécurité en France. À l'époque, la boutique était tenue par un charcutier-collectionneur qui avait commandé à mon grand-père de nombreuses pièces rares et l'avait accueilli alors qu'il avait les nazes aux fesses.

Le plus drôle, c'est que c'était un charcutier juif ; mais, super malin, il s'était spécialisé dans le saucisson et le boudin, et personne ne lui avait jamais demandé de comptes. Et après la guerre, mon grand-père lui avait racheté sa boutique pour en faire le Canada, et aussi pour le mettre à la retraite prématurée des charcutiers, à cause de la reconnaissance éternelle.

Papa aimait venir dans son bureau faire le point, réfléchir aux difficultés de la vie et aux décisions à prendre. Il s'y sentait dans son élément. Une lumière colorée clignotait dans la rue et entrait par intermittences dans la pièce ; et par le jeu d'ombres, la carte se décalquait sur le visage de mon père, comme si vraiment les rues et les boulevards devenaient ses veines.

J'ai regardé par la fenêtre. La Panhard nous attendait en bas. Une poussière liquide tombait et les rues brillaient, toutes vernies. J'ai repensé à Marie-José, et aussi au moment où, dans l'après-midi, elle avait semblé ne pas me reconnaître. Dans ma poche, j'ai tâté le modèle réduit de la Dyna 54 et j'avais

145

l'impression qu'un mince fil nous reliait ce soir-là, Marie-José et moi.

— Papa ?

— Oui.

Il consultait des exemplaires de sa revue et préparait notre itinéraire pour la soirée. Ce n'était qu'une toute petite silhouette dans l'obscurité.

— Qu'est-ce que ça fait quand on aime quelqu'un ?

Il a levé le nez vers moi et s'est raclé la gorge, à cause de la fameuse pudeur.

— Ça fait… attends que je me souvienne… C'est comme la fin de l'exil.

— Tu veux dire quand on est loin de son pays ?

— De son pays, et de soi-même aussi. Tu comprends ?

— Évidemment, tu me prends pour une nouille ? Mais un truc me tracasse, le sentiment d'amour, à tous les âges c'est pareil ?

— Exactement pareil, mon vieux. C'est toujours la même bombe atomique dans un champ de fraises. Et la fraise, c'est toi !

— Mon copain Haïçam pense que si on ne lisait pas d'histoires d'amour, jamais on serait amoureux.

— Tu lui diras qu'il n'y connaît rien.

— J'oserai jamais, papa… mais c'est pas grave, j'ai le temps de me faire ma propre opinion. C'est quoi ces livres ?

J'en ai pioché un au hasard. Papa s'est approché de moi et a regardé par-dessus mon épaule.

— Henry Bordeaux… *Les Roquevillards*… Plus personne ne connaît ça maintenant… des histoires de famille… de père et de fils… Personne ne parle plus de ce genre de choses… C'est de la très mauvaise littérature…

— Pas comme Alexandre Dumas.

— Non, pas comme Alexandre Dumas. On y va ?

— Oui, papa.

Sur la grande carte, il m'a montré l'itinéraire que nous allions suivre. Il me citait des noms qui lui semblaient familiers, mais qui, à moi, ne me disaient rien du tout.

Nous sommes descendus au Canada. Une petite ampoule éclairait faiblement cette pièce longue et étroite et y répandait une clarté jaunâtre, un peu sale et poisseuse. Mon père m'a confié une longue liste de tous les objets à livrer. Je devais la lire à haute voix et lui prendrait les objets sur les étagères. C'était drôle de marcher à deux sur les traces de mon grand-père.

— L'original du *Sabbat* de Maurice Sachs pour les frères Delalande ?

— C'est bon !

Je cochai sur ma liste l'objet en question.

— Une dizaine d'exemplaires du guide Laval pour Mme Petit-Miriou ?

— OK ! Parfait !

— Une prothèse orthopédique supposée avoir appartenu à Sarah Bernhardt pour le lieutenant-colonel Maumort ?

— Je l'ai !

— Une lettre manuscrite du maréchal Lyautey pour le père Leleu ?

— Impec !

On a chargé les paquets dans la Panhard.

— On fait une bonne équipe, papa ? j'ai demandé.

— Oui, on fait une bonne équipe, il a dit avec un sourire dans la voix.

*
* *

Un peu plus tard, nous nous enfoncions de nouveau dans la nuit. La Panhard était bourrée de colis et nous, nous avions des allures de Père Noël. Nous faisions des tours et des détours, de longs spaghettis tarabiscotés dans la ville. J'avais l'impression que nous étions complètement perdus et que nous allions tourner ainsi pendant des heures entières, comme de drôles de polichinelles. Papa me parlait de sa revue et de ses clients, des êtres ultra sensibles qu'il fallait manier comme de la dynamite, avec précaution, mais sa voix me parvenait de très loin. Parfois je m'endormais presque, papa me laissait dans la Panhard, je le voyais s'éloigner avec un gros carton dans les bras, il disparaissait sous une porte cochère. Au milieu de la nuit, je l'ai vu sortir d'un immeuble en courant, au balcon un homme en robe de chambre s'est mis à hurler des insultes contre

148

papa, qui se ruait sur la Panhard comme Noé vers son arche.

— Qu'est-ce qu'il te veut ?

Papa s'essuyait le visage de son grand mouchoir.

— Je ne sais pas. C'est chaque fois pareil. Quand je le quitte là-haut, tout va bien, il a l'air content, et puis tout doit se détraquer pendant que je suis dans l'escalier. C'est plus fort que lui, il *faut* qu'il m'insulte quand je ressors.

Nous avons longé le Jardin des Plantes, tout calme dans la nuit... Nous sommes passés ensuite devant l'hôtel Lutetia.

— Tu te souviens de l'émission de l'autre soir sur les camps de concentration ?

— Oui, je me souviens, là où on a mis les Juifs...

— Pas que les Juifs, mais beaucoup de Juifs... eh bien, quand ils sont revenus des camps, enfin, ceux qui n'étaient pas morts... c'est dans cet hôtel qu'ils ont abouti...

— C'est un bel hôtel... ils devaient être contents ! Il y avait assez de chambres pour tout le monde ?

— C'était pas pour dormir, petit crétin, mais pour être rassemblés, pour qu'ils retrouvent leur famille, ou qu'on leur trouve un endroit où vivre.

— Une sorte de gare de triage ?

— Si tu veux.

— J'ai parlé de cette émission à Haïçam, parce que, tu sais, il est quelque chose comme égyptien, turc et juif...

— Tout ça à la fois ?

La Panhard s'engouffrait sur l'autoroute du sud complètement déserte.

— Oui, tout ça… C'est parce qu'il est très intelligent, il n'a plus besoin de respecter les limites communes. Enfin, je n'ai jamais bien compris comment ça fonctionnait… C'est pas le genre bavard… Alors quand je lui ai parlé de cette émission, il m'a dit qu'il était au courant et que les nazes…

— Les nazes ?

— Mais oui, les soldats allemands, si tu préfères…

— Les nazis…

— Si tu veux, les nazis… eh bien, Haïçam m'a dit qu'ils faisaient des abat-jour avec la peau des Juifs et aussi des oreillers avec leurs cheveux… Je sais bien qu'Haïçam est très intelligent et qu'il sait à peu près tout, mais là, je ne l'ai pas cru.

— Tu as eu tort, parce que c'est vrai.

— Ah bon ?

*
* *

— Ah bon ? répète Marie-José pour la jenesaispluscombientième fois. Tu es certain ?

J'essayais de faire le malin en lui resservant les indications techniques que je tenais de mon père sur la Dyna 54. Mais je voyais bien que ce bavardage ne l'intéressait pas. J'ai repensé à la fois où elle m'avait

150

croisé sans me faire aucun signe, comme si je n'existais pas, et je me suis dit que certainement elle devait en avoir assez de me traîner derrière elle. Moi aussi, je me faisais un peu pitié parfois, surtout quand je me surprenais à chercher des termes musicaux compliqués pour l'étonner.

Je tenais droit devant moi le bouquet de fleurs pour sa mère. Je l'avais caché dans mon sac toute la matinée, alors il était plié en quatre. J'étais bien content d'avoir choisi des fleurs artificielles. C'est plus cher, mais plus résistant, et au final tout aussi distingué. Et ça fait tout autant plaisir à mon avis. Nous descendions le chemin vers le village. Des forains installaient des baraquements sur une petite place.

— Tu as vu, ai-je dit, il va y avoir une fête foraine.

Elle a haussé les épaules. Elle semblait se cacher derrière sa touffe de cheveux qui brillait dans le soleil.

— Qu'est-ce que tu as ? On dirait que tu as des larmes dans les yeux…

— Mais non. C'est le pollen.

— Le pollen à Noël ?

Elle a souri. Mais c'était un sourire tout tordu. Elle a dit :

— Si tu veux, on peut jouer à Helen Keller.

Jouer à Helen Keller, c'était se mettre en aveugle, avancer les yeux fermés en se laissant guider par la voix de l'autre.

Elle s'est mise à avancer, les bras en avant, comme une somnambule. J'ai couru derrière elle.

— Attention à la boîte aux lettres. À gauche toute… voilà… tout droit maintenant… Fais un grand pas pour éviter la crotte de chien… Trop tard… tant pis, on continue…

*
* *

On a fini sur un banc. Devant nous, des hommes jouaient à la pétanque. Le ciel était devenu gris et opaque, comme s'il allait se mettre à neiger. Elle a dit :

— J'en ai marre de ce jeu idiot. D'ailleurs il faut que je te dise quelque chose.

— Je me doute.

— Tu te doutes de quoi ?

— Eh bien, je me dis que tu dois en avoir assez de me traîner derrière toi. Toi, tu joues du violoncelle, tu as tout lu…

— Et toi ?

J'ai haussé les épaules.

— Moi, tu vois bien… Avant de te connaître, je n'avais jamais remarqué la différence entre un violoncelle et un violon. Et même je croyais que ça s'écrivait en deux mots : violon-celle. Comme le vermi-celle.

— Je vois pas bien le rapport.

— Y en a pas. Et puis, tu comprends, *Les Trois Mousquetaires*, j'ai lu que le début, et encore, j'ai sauté les descriptions. Moi, c'est pour la lecture qu'il me faudrait un nègre ! C'est pas la peine de glousser comme ça… Regarde, même ces foutues fleurs que j'apporte pour ta mère, eh bien, je ne sais pas ce que c'est. Je sais seulement qu'elles sont en tissu.

— Tu as un problème avec la théorie, c'est tout. C'est toujours comme ça pour les ultra sensibles dans ton genre.

— Tu crois ?

— Oui, il vous manque la mise à distance qui permet de voir les choses froidement.

Devant nous, un type a fait un carreau et une rumeur d'admiration est venue jusqu'à nous, comme une sorte d'onde. J'ai failli parler du concert avec la Chignole pour vider mon sac complètement, mais j'avais encore un peu de dignité.

— Tu t'y connais en Panhard, elle a dit, je suis certaine que dans le collège personne ne connaît ces voitures.

De nouveau, j'ai haussé les épaules.

— Ça ne sert à rien ni à personne. Elles n'existent plus, ces voitures. On n'en voit plus jamais. Et puis c'est papa, le vrai spécialiste. C'est mon oncle Zak qui l'a initié autrefois. Haïçam, c'est le spécialiste des échecs, et de la mise à distance. Toi, tu sais tout sur tout, et moi, rien sur rien. C'est vexant quand même.

— Eh bien, tu vas avoir l'occasion de te sentir utile, crois-moi. Parce que après ce que je vais te dire… Tu m'écoutes bien ?…

— Oui, je t'écoute.

Je sentais bien que c'était un moment sérieux, un peu comme quand papa m'avait demandé d'aller me raser. C'était le moment d'avoir de la tenue, j'ai vérifié que ma braguette était fermée. Elle me regardait droit dans les yeux, comme si elle voulait me clouer aux nuages.

— Alors voilà. Tu te souviens quand j'ai été absente quelques jours le mois dernier… Oui ? Je t'ai dit que j'étais partie voir une vieille tante malade.

Je ne me souvenais plus, mais ce n'était pas grave, on n'était pas à ça près.

— Oui, je me souviens bien. Alors ce n'était pas vrai ?

— Non. La vérité, c'est que j'étais à l'hôpital, à Paris. Dans un service spécial pour les yeux.

J'ai repensé au moment où je l'avais croisée sur la piste du stade.

— Pourquoi ? Tu as des problèmes aux yeux ?

— Oui, a-t-elle dit très simplement.

— Comme Jean-Sébastien ?

Je ne savais pas si je devais me trouver malin ou complètement stupide d'avoir fait cette plaisanterie. Elle a haussé les épaules à son tour. Sur la place, les boulistes ramassaient leurs boules, avec un aimant au bout d'une ficelle pour éviter d'avoir à se baisser. Faut-il être fainéant ! j'ai pensé.

— J'ai une maladie qui fait que ma vue baisse petit à petit. Ça fait plusieurs années et maintenant on arrive à la fin. Déjà, par moments, je ne vois plus rien.

J'avais de plus en plus de mal à avaler ma salive, comme si j'avais bouffé toute la poussière de la place.

— Hier, au stade…

— Oui, c'était ça ; mais je sens que bientôt ce sera le noir tout le temps…

Je ne trouvais plus rien à dire, et plus je cherchais, moins je trouvais.

Elle a dit :

— Tu es la seule personne à qui je puisse en parler…

— Pourquoi ? Tes parents, il faut bien qu'ils sachent.

— Ils connaissent ma maladie, évidemment. Mais elle est encore peu étudiée, et personne ne peut savoir – sauf moi – à quel moment je jouerai en nocturne. Pour tout le monde j'en ai encore pour des années.

— On doit bien pouvoir faire quelque chose… Au temps de Jean-Sébastien, on devenait aveugle pour un rien… mais aujourd'hui c'est différent… Sûrement il doit y avoir une solution, des spécialistes. Si ça se trouve, il y a même des spécialistes pour l'œil droit et d'autres pour le gauche.

Comme pour les blancs de poulet, j'ai eu envie d'ajouter.

— Non. Crois-moi, j'ai étudié le problème, j'ai même assisté à des conférences… Il n'y a rien à faire, rien du tout… Je vais te dire… je ne peux rien dire à mes parents… parce que sinon je ne terminerai pas l'année ici… Je serai dans un établissement spécialisé et je ne pourrai pas aller dans mon école de musique…

Je ne comprenais pas bien, sûrement parce que, comme elle m'avait dit, il me manquait la faculté de la mise à distance, qui permet de voir et de comprendre les choses froidement et clairement.

— Pourquoi est-ce qu'ils refuseraient que tu ailles dans ton école, tes parents ? Ils ne savent pas que tu prépares ce concours ?

— Bien sûr que si. Ils ont encore l'espoir que je garde la vue, au moins pour de longues années. S'ils apprennent que je suis aveugle, ils vont vouloir me placer dans un établissement très chic et super étudié, spécialement conçu pour donner aux gens handicapés comme moi les mêmes chances qu'aux autres. Oh, évidemment ils me permettront de jouer aux anniversaires ou aux fêtes de fin d'année, mais je les ai entendus en discuter : si je perds mes yeux, ils me mettront en sécurité et m'interdiront de tout miser sur la musique.

— C'est ultra chimique, comme situation ! j'ai murmuré en me grattant derrière la tête.

— C'est mon seul espoir… Tu comprends… Arriver au mois de juin et passer ce concours, coûte que coûte. Et une fois que j'aurai réussi et que l'école m'aura acceptée, mes parents ne pourront pas s'y opposer… Tu crois pas ?

— Si, sûrement.

Je ne sais pas pourquoi, j'ai repensé à Lucky Luke et à sa manie du vélo.

— En somme, on s'est échappés du peloton, et faut qu'on garde notre avance jusqu'à l'arrivée de l'étape.

— C'est exactement ça.

— Faut quand même se préparer à une super-étape de montagne !

Puis j'ai repensé à mon merle dans sa boîte pleine de coton, avec son petit bec jaune entrouvert et son cœur lourd qui cognait et s'accrochait à la vie.

La place était toute déserte à présent. Les boulistes s'étaient rassemblés dans un petit café enfumé et discutaient avec les forains. Leur vie paraissait simple et tranquille.

— Mais, dis-moi, tout de même, ça va être coton de faire comme si rien ne se passait…

Alors à ce moment-là j'ai repensé à un truc et j'ai dit :

— Mais alors, quand tu m'as passé les réponses de math au début de l'année, tu pensais déjà… enfin, c'était pour que je t'aide quand tu ne verrais plus ?

— Au début non, je n'y ai pas pensé. Je t'ai donné les réponses parce que tu avais une tête qui m'amusait, un peu d'une autre époque… Tu ressembles un peu à…

— À Lino Ventura, je sais. J'ai une tête d'autrefois. Et ensuite ?

157

— Ne me regarde pas comme ça d'abord… Ensuite je me suis dit que tu étais débrouillard. Et généreux. Et sensible. Et que sûrement tu m'aiderais et ne me laisserais pas tomber. Puis je suis tombée amoureuse de toi, alors je n'ai plus réfléchi à rien du tout.

Je me suis demandé si j'avais bien entendu et j'ai repensé à la fin de l'exil. J'ai failli lui demander de répéter, mais comme elle avait un peu rougi, j'ai préféré me taire. Je fixais mon bouquet en cherchant le nom des fleurs avec le cœur façon puzzle. Puis, comme ça, je me suis mis à compter les pétales. On a un peu regardé les nuages. Je n'avais qu'une seule envie : m'enfuir à toute vitesse sans me retourner. Je ne sais pas bien pourquoi, mais j'ai repensé à l'émission sur les camps de concentration que j'avais vue avec papa à la télévision.

La voix déterminée de Marie-José m'a tiré de mes pensées.

— Voilà, si on résume la situation : 1) Dans quelques jours, ou en tout cas après les vacances de Noël, ce sera rideau…

— Comme Helen Keller ? ai-je cru bon de remarquer pour faire une référence culturelle.

— Comme Helen Keller, exactement. Sauf que moi j'entends encore. 2) J'ai besoin de toi pour passer inaperçue au collège. Mes résultats ne doivent pas baisser, car cette école est réservée aux grosses têtes. Mais toute seule je n'y arriverai jamais. Il faut donc que tu sois mon fil d'Ariane. 3) Demain, je t'invite à la fête foraine. Maintenant on va manger : ma mère a préparé des lasagnes et un super-dessert.

*
* *

On m'a fait entrer dans un immense salon baigné par un flot de lumière qui pénétrait à travers de longues baies vitrées. La mère de Marie-José est arrivée et je lui ai tendu mon bouquet. Elle a mis son nez dedans.

— C'est pas la peine, madame, elles sont en tissu. Je me suis dit que ça vous durerait plus longtemps. Et aussi que c'était plus distingué.

— Vous avez eu bien raison, elle m'a dit en nous invitant autour d'une table couverte d'un tas de petites choses amusantes pour le ventre.

Le père de Marie-José nous a rejoints autour de la table. Il croisait les jambes de façon assez chic et était sapé comme un milord.

— Alors, Victor, vous êtes dans la même classe que Marie-José, je crois ?

— Oui, c'est ça, mais on joue pas dans le même championnat.

Ils ont souri et c'était déjà ça de gagné. J'ai commencé à croquer dans un truc qui ressemblait à une minuscule tomate mais en beaucoup plus dur.

— Excusez-moi, Victor, mais je crois que ça se mange sans la coquille, a précisé la mère de Marie-José, très gentiment, en me tendant une pince spéciale.

159

— Vous aimez les études ? m'a demandé son père.

J'ai réfléchi un moment. Les parents de Marie-José me regardaient en souriant, avec de la sympathie plein les yeux. J'ai remarqué que Marie-José avait les mêmes lèvres que sa mère.

— J'ai rien contre, si vous voulez. C'est elles qui m'ont pris en grippe.

— Vous savez qu'Einstein s'est mis à parler à cinq ans et que jusqu'à cet âge-là il était considéré comme un attardé ?

— Il a de la chance. Moi, c'est à partir de cet âge que j'ai eu ce genre de problème. Avant, on m'a fichu la paix.

La mère de Marie-José a fait un aller-retour jusqu'à la cuisine. Sa démarche était souple et discrète. J'étais dans un univers de distinction supersonique. Et je me suis dit : « Si tu me voyais, papa, t'en reviendrais pas ! »

— Vous faites de la musique, vous aussi, peut-être ? m'a demandé son père.

— Pas du tout, monsieur. J'ai jamais fait la différence entre une symphonie et un accident de voiture. Mon père m'a payé des cours de piano autrefois, et franchement, si vous voulez mon avis, c'était de l'argent jeté par la fenêtre.

Marie-José est intervenue :

— Victor dit ça, mais en fait…

Mes oreilles se sont mises à bourdonner. Elle me regardait. J'ai fermé les yeux en retenant ma respiration, comme devant un peloton d'exécution.

160

— ... c'est un très bon mélomane qui sait parfaitement écouter et qui juge avec beaucoup de sensibilité.

J'ai rougi à mort, un peu à cause du secret de la Chignole, beaucoup à cause du compliment.

— Vous savez que notre fille, à la fin de l'année, va passer un concours pour entrer dans une école de musique très réputée ? Nous sommes très heureux pour elle, ce sera un tournant dans sa vie, hein, Marie ?

Elle a souri à son père et a planté ensuite ses yeux dans les miens, c'était comme une alliance dans le secret que nous partagions.

— Dans cinq minutes, c'est prêt, a dit la mère de Marie-José, en revenant s'installer avec nous.

Tant mieux, je me suis dit. Les lasagnes allaient me mettre en confiance. Moi, il faut toujours que je commence par me lester le bas pour me détendre le haut.

Autour des assiettes, sur la table, les deux couverts habituels avaient fait des petits partout. Les verres contenaient une serviette rose pliée de façon à représenter un oiseau écartant gracieusement les ailes. J'étais impressionné par la distinction.

Comme je ne voulais pas passer pour un plouc, j'ai préféré ne pas poser de questions concernant la batterie de couverts. Franchement, une seule fourchette m'aurait largement suffi. Je guettais Marie-José, tout en essayant de suivre la conversation, et j'essayais de manipuler les couverts comme elle, dans le même ordre. C'était un peu compliqué, surtout pour l'entrée, un genre de flan tout mou qu'il fallait mettre dans une grosse cuiller, grâce à une plus petite, et saisir ensuite à l'aide d'une sorte de spatule biseautée. Je retrouvais les mêmes difficultés qu'avec mon compas qui dérapait toujours au dernier moment.

La mère de Marie-José a déposé le plat de lasagnes sur la table.

— Et au collège, quelle est votre matière préférée ? elle m'a demandé en prenant mon assiette.

— Oh, vous savez… ça dépend !

— Et ça dépend de quoi ? elle a voulu savoir en me rendant mon assiette avec toute l'Italie dedans.

— Des jours. Oui, ça dépend des jours. Dans l'ensemble, c'est la peinture que je préfère.

Ça m'était venu d'un coup, sous le coup d'une illumination, à cause de l'ambiance artistique du salon.

— La peinture abstraite ?

C'est un mot que je n'ai jamais bien compris. Justement parce qu'il l'est trop, abstrait.

— Évidemment, j'ai dit. C'est beaucoup plus beau.

Puis j'ai pu souffler quelques instants, parce qu'ils se sont mis à parler entre eux d'expositions d'art moderne qui allaient se dérouler à Londres et à Paris. Pendant qu'ils parlaient, je me suis demandé ce que faisait papa, et je l'imaginais le nez dans la Panhard et les mains pleines de cambouis. Sûrement, il avait posé son sandwich sur le carburateur pour ne pas perdre de temps. J'ai finalement repris pied dans la conversation. Je ne savais plus du tout de quoi il était question, et ça m'a rappelé certains cours en pointillé.

Finalement, en attendant le dessert, on s'est installés sur un divan, à feuilleter des catalogues d'exposition. C'étaient des tableaux avec des croix partout, de toutes les couleurs. À force de les regarder, ça devenait tout de même intéressant. J'en ai fait la remarque :

— Tout compte fait, pour qu'une chose soit intéressante, il suffit de la regarder longtemps, je trouve.

— Tiens, Flaubert ! a dit distraitement le père de Marie-José.

— Quoi ?

— Oui, c'est Flaubert qui a dit ça. À propos d'un arbre, je crois.

J'avais toujours cru que Flaubert travaillait pour *Le Nouvel Observateur*. Je n'arrivais pas à me le retirer du crâne, car c'est mon cher oncle Zak qui autrefois me l'avait appris.

C'est quand même drôle de se rendre compte qu'on peut penser comme des gens réputés pour leur sérieux et leurs facultés extraordinaires ; ça fait un curieux effet ; on ne sait pas bien si on se sent grandi ou si eux sont diminués. J'étais en confiance, alors j'ai continué à partager mes visions esthétiques.

— D'ailleurs c'est vrai, regardez, ces petites croix, eh bien, si on les regarde longtemps, on s'aperçoit que ça représente une femme dans sa baignoire.

— Vous trouvez ? a dit le père de Marie-José réellement intéressé. Une femme dans son bain… vraiment ?

Il s'est mis à retourner le livre dans tous les sens.

— Mais si ! Vous voyez bien, là, les bras, le cou et ici, les nich… enfin les trucs… les machins de la maternité… Là, c'est le bord de la baignoire… On voit même le savon… Voyons… C'est clair quand même !

Ils m'ont regardé tous les trois comme une bête curieuse.

— Et le titre ? a demandé Marie-José.

— Le titre ? Quel titre ?

— Là, tu vois bien : *Usine monochrome.*

J'ai haussé les épaules. Je n'ai pas trop insisté sur le terme « monochrome », rapport au vocabulaire hors de portée.

— Il est tout petit, comme titre. Et puis un titre, ça veut pas dire grand-chose. Regarde, les trois mousquetaires, eh bien, ils étaient quatre ! Alors hein. Pourtant ce n'est pas de l'art moderne. Alors tu penses, avec ce qu'on fait maintenant, les titres, on s'en fiche bien…

Elle a haussé les épaules.

— Remarque, il a raison, a dit sa mère, en musique, c'est un peu pareil. Avant, on avait la « septième symphonie » ; ça dit bien ce que ça veut dire : après la sixième et avant la huitième. Alors que maintenant…

Ensuite, encouragé comme ça, j'ai cru bon lancer une comparaison entre la peinture moderne et *Boule et Bill*, mais j'ai bien vu qu'ils n'en avaient lu aucun, même s'ils ont cherché à me le cacher.

On a continué à parler gentiment pendant un long moment, je prenais confiance, je me sentais bien et je commençais à voir qu'il pouvait peut-être exister des choses intéressantes en dehors des Panhard ; ça s'est un peu gâté sur la fin, parce que je manquais de références. Le père de Marie-José m'a demandé tout à coup :

— Vous aimez les Boudins de la dernière période ?

D'abord je me suis demandé s'il ne se mettait pas à se moquer à cause de mes insuffisances, mais j'ai souvent cette impression-là, alors bon… Ensuite je me suis dit qu'il avait certainement une deuxième activité en tant que charcutier et que commissaire Prisunic, ça ne suffisait peut-être pas, rapport à la finance.

Comme j'hésitais, il m'a raconté que la semaine précédente il avait vendu des Boudins à tour de bras, qu'il en était écœuré. Il était pas obligé de les bouffer, non plus…

— Vous vous rendez compte, il y en a un qui est parti à Berlin, pour trois millions.

Un boudin pour trois millions ! Il n'avait pas besoin de se vanter autant non plus.

— Il était peut-être très long ? ai-je dit pour essayer.

Je trouvais ça exagéré comme prix. Marie-José fronçait les sourcils. Elle était comme pétrifiée. Et puis d'un seul coup elle s'est mise à pouffer de rire. Je me suis passé la manche sur la moustache, au cas où.

— Non, même pas, trente centimètres de côté, pas plus. Un petit Boudin, quoi !

Un boudin carré à trois millions, ça commençait à me sembler louche, un peu. Marie-José continuait à rire. J'ai discrètement vérifié ma braguette, mais non, elle était bien remontée.

— Moi, ce que je préfère, ce sont les Boudin bleus, a dit le père de Marie-José.

— Moi, je les aime bien grillés, au contraire.

Marie-José s'est penchée vers moi pour me glisser un renseignement. J'ai fait mine de rien.

Est-ce que je pouvais savoir, moi, que Boudin, Eugène de son prénom, c'était un peintre ? Est-ce qu'on a idée de porter un nom pareil aussi ? Monsieur Boudin… J'ai souri à l'intérieur en gardant le sérieux pour l'extérieur.

Pour finir la mère de Marie-José a apporté un grand plat, c'était la cérémonie du dessert, encore un truc italien, qui méritait un compliment.

— Génial ! Un kamasutra ! Merci, j'adore ça !

J'ai tendu mon assiette avec le super-sourire de la reconnaissance.

C'était la consternation totale, je m'en suis bien rendu compte, car je les surveillais du coin de l'œil.

— Un… un quoi ? a demandé Marie-José en détachant les syllabes.

— Un kamasutra, quoi, le dessert italien, là. On va le manger ou le mettre au musée ?

— Ça y est, j'ai compris, a dit le père de Marie-José. Un tiramisu ?

— Voilà, j'ai confirmé : un tiramisu.

Il y a eu un moment de recueillement, avec une ambiance divine d'exception.

Dans l'ensemble j'ai trouvé que j'avais fait une superbe impression.

*
* *

Tout ça ne m'a pas empêché de finir la nuit sur un rêve vraiment toxique. Je pêchais dans une rivière très calme. Et soudain il y avait quelque chose au bout du fil qui se tendait. Alors je tirais de toutes mes forces et je finissais par sortir de l'eau et déposer sur une herbe vert fluo une sorte de poisson-chat tout mou et visqueux dont l'expression menaçante m'a laissé une sorte de malaise au réveil. Pourtant la journée ne présentait pas de danger particulier : je devais retrouver Marie-José devant la baraque du Palais de la rigolade et ensuite le Métro devait venir répéter à la maison pour mettre au point le concert dont il ne démordait pas. Papa était un peu déçu, car la veille il avait réglé la Panhard aux petits oignons pour participer à une rencontre de voitures en voie d'extinction à laquelle il comptait m'emmener ; mais il a compris que pour

167

une fois j'avais des priorités. Alors il m'a conseillé d'aller me raser.

En chemin vers la fête foraine, je me suis demandé comment j'allais pouvoir échapper au concert. Bien sûr, j'avais toujours de l'amour pour les agités des guiboles qui se tortillent dans tous les sens et répandent les ultra-décibels, mais quand je comparais avec l'art fragile et obstiné de Marie-José qui lisait les notes mieux que moi les lettres, je me disais qu'il y avait quand même un ordre à respecter.

Quand j'ai vu Marie-José devant le Palais de la rigolade, je me suis dit qu'il fallait que j'arrête de penser à tout ça, parce que ça allait me gâcher l'après-midi, et que les choses finissent toujours par s'arranger quand on a treize ans. On a circulé entre les baraques et je lui ai proposé une pomme d'amour, mais je ne me suis pas rendu compte, et à peine j'avais prononcé le nom que je me suis mis à devenir aussi rouge que la pomme elle-même. Elle me regardait d'un drôle d'air ; et puis on a croqué chacun d'un côté.

— Tu as une moustache rouge, elle m'a dit.

— Toi aussi.

On a éclaté de rire et, encore moustachus, on est entrés dans un grand labyrinthe transparent. Il fallait faire vraiment attention, sinon on s'écrasait le nez contre les parois translucides. Des enfants braillaient, car ils avaient perdu leurs parents, qu'ils voyaient sans jamais parvenir à les rejoindre, et c'était pour eux comme l'apprentissage de l'exil. Je me suis demandé si dans la vie ce n'était pas pareil. On est là, à se tourner autour et à souffrir sans arrêt pour tenter de se toucher sans jamais y parvenir. Marie-José et moi, on restait bien concentrés et on a tournicoté comme ça pendant assez longtemps. Mais au bout d'un moment je me suis retourné et je me suis rendu compte qu'il n'y avait plus personne. C'était le vide, quelque chose de déboussolant si vous voulez mon avis. Marie-José se trouvait quelques mètres derrière, elle aidait un petit à se relever ; elle lui essuyait le nez avec un mouchoir tout taché de sang. J'ai pensé à mon merle. Ensuite la mère est parvenue à rejoindre son petit et elle l'a emmené dans ses bras en gueulant que ce labyrinthe, c'était une vraie connerie et qu'il n'y avait pas idée d'inventer des trucs pareils. Après, avec Marie-José, on a essayé de se rejoindre, mais on a commis l'erreur de se déplacer ensemble, si bien qu'on se passait toujours à côté. On avait vraiment l'impression qu'on était tout près l'un de l'autre, et puis au dernier moment on se rendait compte qu'on n'était plus dans le même couloir. Au début ça nous faisait bien rire et puis au bout d'un moment plus du tout, la panique totale. J'essayais de rester immobile et de la conduire à distance, ou bien le contraire, mais rien à faire, on n'arrivait pas à se rejoindre ni à se toucher, comme s'il n'y avait plus moyen de se guider ni de s'aider, ni même de se comprendre. On a fini par échouer dans un cul-de-sac, séparés par une paroi de Plexiglas. Marie-José avait un pauvre sourire tout carré. Je ne savais plus si je rêvais ou si c'était la réalité. Elle a posé ses mains sur la vitre avec les doigts très écartés, et moi, j'ai posé les miens sur les siens, et ça donnait l'impression qu'on avait été crucifiés comme ça tous les deux, face à face, chacun d'un côté d'une croix. On est restés à se regarder, on ne pouvait plus se détacher, comme si on s'observait tous les deux dans un miroir. Finalement, on s'est rejoints dehors. Le soleil brillait ; ça sentait la barbe à papa. On est montés dans une auto-tamponneuse et Marie-José a voulu conduire.

— Tu comprends, c'est peut-être la dernière fois que je peux conduire ce genre d'engins…

J'avais l'impression que tout le monde nous regardait, et j'étais content, parce que je pensais que notre voiture était plus distinguée que les autres. C'est seulement au bout de plusieurs minutes que je me suis rendu compte que Marie-José conduisait les yeux fermés et c'est là que je me suis dit que ça n'allait vraiment pas être facile de la mener jusqu'à la fin de l'année sans que personne ne s'en aperçoive. J'ai failli orienter la conversation sur le sujet, et puis je me suis dégonflé.

On s'est retrouvés tout flageolants dans les allées de la fête foraine. Les lumières des manèges se mêlaient aux loupiottes de Noël. Il faisait froid, et deux petits nuages de givre s'échappaient de nos bouches. D'un seul coup Marie-José s'est comme immobilisée et m'a pris le bras en le serrant fort.

170

— Si on allait dans le train fantôme !

Elle avait l'air tellement heureuse à l'idée qu'on ait peur ensemble ! Je n'ai pas eu le cœur et j'ai fait semblant d'être très détendu, mais en réalité je n'arrivais pas à m'enlever de la tête certaines images très tristes, bien plus angoissantes que tous les fantômes du monde. Je voyais Marie-José laissée toute seule dans un établissement spécialisé pour les aveugles, avec sa petite valise. Elle faisait un au revoir dans le vide. Je me suis dit qu'il fallait absolument que je demande conseil à Haïçam, que sûrement c'était le seul à pouvoir m'aider à y voir plus clair. Ensuite j'ai arrêté de mouliner des pensées de cette sorte, parce que des squelettes fluorescents surgissaient devant nous en faisant des hou ! hou ! si effrayants que Marie-José se serrait contre moi. Je sentais ses cheveux qui me chatouillaient la joue. Je me suis dit que j'avais bien fait de penser à me raser. Notre wagonnet s'est ensuite arrêté assez longtemps. On entendait des bruits lugubres dans le noir. Marie-José m'a chuchoté :

— J'ai peur des fantômes !

Et je n'ai pas eu le temps de répondre, parce que j'ai senti sa bouche contre la mienne. Et elle appuyait si fort que j'avais l'impression d'avoir un bœuf sur la langue. La sienne, d'ailleurs, de langue, je la sentais qui tournait dans tous les sens, comme une sorte de manivelle. J'ai eu envie de pouffer de rire, mais je me suis retenu, c'était mieux. Juste après, notre wagonnet est reparti, et adieu les fantômes. On a repris nos distances et on a retrouvé la lumière. Il y avait comme une petite gêne, forcément. Elle était toute songeuse, alors je me suis dit que certainement elle devait regretter.

— Tu as l'air triste, ai-je dit.

— Non, pas du tout. Seulement je me demande si c'est bien comme *ça* qu'il faut faire. La semaine dernière, chez le dentiste, j'ai lu le mode d'emploi dans un magazine, *Flirt et Tendresse*, et je crois bien que c'était comme ça ; mais avec les modes d'emploi on monte toujours tout à l'envers...

— Non. C'est bien comme ça. En théorie en tout cas.

— Et en pratique ?

— J'en sais rien, je ne connaissais que la théorie.

*
* *

Ensuite nous nous sommes rapidement quittés, parce qu'elle devait travailler son violoncelle ; et moi, j'étais déjà en retard pour la répétition avec Étienne et Marcel. C'était drôle, parce qu'on s'est serré la main et je me suis dit que l'intimité, c'est quelque chose de pas facile ; moi, je n'étais pas fâché qu'on se quitte sur cette bonne impression ; d'une certaine façon j'avais hâte de pouvoir faire une sorte de bilan sur la situation. Et il faut être seul pour

172

effectuer ce genre d'opération, comme papa me le disait souvent.

À la maison, il n'y avait encore personne, ni papa ni Étienne et Marcel. Ni la Panhard. C'était tout vide. Je suis monté dans ma chambre sous le toit et je me suis assis à mon bureau. J'étais dans une attitude proche de la méditation, qui est l'*action de se soumettre à une réflexion qui approfondit longuement un sujet* ; ça ne peut jamais faire de mal, je crois. J'ai pensé à mon cher Égyptien qui faisait souvent le « crocodile du Nil », et c'était rassurant de prendre exemple sur lui, qui semblait tirer tant de bienfaits de cette attitude méditative.

Ma première préoccupation était de savoir comment échapper au concert avec la Chignole sans passer pour un lâcheur ni blesser le Métro dans sa fierté ; et ma seconde était de savoir si je pouvais être à la hauteur pour aider Marie-José. C'étaient deux problèmes.

J'ai entendu le moteur de la Panhard, puis des voix dans la cour ; et par la fenêtre j'ai vu qu'Étienne et Marcel rentraient avec papa, qui les avait emmenés faire un tour. Je les ai rejoints. Tout de suite j'ai vu que quelque chose ne tournait pas rond. Étienne m'a informé :

— À la maison, c'est en train de chier !

— Pourquoi ?

— Parce qu'on divorce.

Comme je faisais une tête bizarre, Marcel a précisé :

— « On », ça veut dire nos parents ; ça a gueulé toute la journée. Ils sont pas d'accord sur la suite des

173

opérations. Ils vont aller en procès pour notre garde. J'ai cru qu'ils allaient s'étriper à ce propos.

— Ils peuvent pas vous couper en deux. Une station de métro, ça ne se coupe pas en deux. Il y a eu un roi comme ça autrefois, qui voulait couper les enfants en deux pour les distribuer, mais je ne me souviens plus de son nom.

— C'est marrant quand même, a dit Étienne, j'aurais pas cru qu'ils se battraient à ce point sur cette question !

Il paraissait vraiment songeur. Moi, j'ai remarqué :

— C'est normal. Tous les parents se battent pour avoir leurs enfants avec eux. Enfin presque…

Le souvenir de ma mère m'a traversé l'esprit. Ils m'ont regardé avec des yeux ronds.

— Mais pas du tout. C'est tout le contraire. Ils en ont tellement marre de nous qu'aucun des deux ne veut nous garder. Alors maman attaque papa en procès pour qu'on aille avec lui ; et papa, c'est l'inverse. Chacun veut prouver que l'autre s'occupe mieux de nous. Papa va sûrement dire au juge qu'il nous bat, et maman qu'elle nous fait faire la cuisine et la vaisselle pendant qu'elle s'éclate en boîte !

— C'est original, j'ai dit. L'autre jour, avec papa, on a vu à la télé une émission sur ce sujet, mais ils n'ont pas parlé de ce cas de figure.

Ils avaient l'air préoccupé, pas du tout dans leur assiette, et je me suis dit que ce n'était pas le bon jour pour leur parler de ma décision concernant le concert. On s'est mis à jouer. Moi, je grattais ma guitare et je hurlais dans le micro, mais sans conviction : « Faut pas pousser / On a assez travaillé / On a besoin de se reposer / Faut pas pousser / On a assez cravaché / La moutarde nous monte au nez ».

— Elles sont super, tes paroles, surtout les rimes, a remarqué Étienne en connaisseur.

Je me suis dit qu'il disait ça pour me flatter. Je les avais écrites du temps où j'étais révolté, et la révolte parfois, ça vous fait faire ou penser des choses qu'ensuite vous ne comprenez plus du tout.

Marcel a renchéri :

— Tu devrais les montrer à la prof de français. Je suis sûr qu'elle les lirait à toute la classe, ça ressemble à… tu sais bien…

Il voulait me comparer à un auteur qu'on avait étudié.

— Ça ressemble à du Bauledaire, voilà.

J'ai haussé les épaules. J'ai quand même dit :

— Vous ne trouvez pas que c'est surtout du boucan, notre musique ?

Je me suis tout de suite rendu compte que j'étais allé trop loin. Ils se sont regardés et j'ai eu l'impression qu'ils allaient s'évaporer. Alors j'ai fait marche arrière et j'ai encore préféré dire n'importe quoi :

— Mais non, je plaisantais ! De toute façon, quand on a l'instinct, on a l'instinct !

— Quel instinct ? a demandé Marcel, qui ne comprenait rien à l'expression symbolique.

175

— C'est une image, a dit Étienne, il veut dire l'instinct poétique, et que quand on a la rage musicale, le solfège, on s'en fout ! Hein ?

Ce qu'il y a de bath quand vous lâchez n'importe quoi pour vous tirer d'affaire, c'est qu'il y a toujours quelqu'un pour comprendre ce que vous n'aviez jamais pensé à dire.

— Oui, c'est ça ! j'ai dit pour en finir.

C'est vraiment embêtant la compassion, parce que ça vous fait dire n'importe quoi. J'ai pensé à Marie-José qui devait être au conservatoire, et à toutes les années qu'il lui avait fallu pour savoir jouer de son instrument. La rage poétique et musicale, c'est surtout du boulot, mais comment est-ce que j'aurais pu leur expliquer ça, à Étienne et Marcel ? Ensuite on a changé de sujet, parce que Étienne était allé voir la conseillère d'orientation à propos d'une nouvelle voie professionnelle qu'il voulait prendre. Il lui avait expliqué qu'il avait renoncé à la découpe des blancs de poulet pour devenir proctologue. Mais la conseillère ne connaissait pas, alors il lui avait expliqué qu'il s'agissait du spécialiste du trou du cul. Elle, elle avait pensé qu'il se payait sa tête, alors la vapeur lui était sortie des oreilles et elle avait rameuté Lucky Luke, qui lui avait donné des heures de colle et l'avait menacé d'annuler le concert.

— Moi, il a dit, je trouve que ça n'encourage pas les projets professionnels, ce genre d'attitude.

* *

Le soir, j'ai eu des doutes sur le vocabulaire, et j'ai regardé dans le dictionnaire que papa m'avait offert.

Proctologue : *Spécialiste en proctologie.*

Et comme ça ne m'avançait pas beaucoup, j'ai regardé à « proctologie » :

Proctologie : *Partie de la médecine traitant des maladies de l'anus et du rectum.*

Certainement, ça devait demander beaucoup d'années d'études, cette activité-là, un peu comme dentiste. Ensuite, ainsi édifié, je suis descendu voir papa, qui avait allumé la télévision. On y voyait Charles Aznavour dans un film qui s'appelle *Paris au mois d'août.* C'était une drôle d'histoire qui m'a beaucoup plu. Un vrai beau film bien émouvant, à mon avis. Il était question d'un employé de la Samaritaine au rayon pêche, un petit homme tout ce qu'il y a de plus banal. Pendant que sa femme était partie en vacances, il tombait amoureux d'une jeune Anglaise très belle qui faisait mannequin dans la vie et qui était en déplacement à Paris. Et pour se faire mettre en vacances et la fréquenter tout à son aise, eh bien, il ne trouvait rien de mieux que de se fourrer un hameçon bien profond dans la main pour pouvoir ensuite bénéficier des avancées sociales modernes. Comme ça, c'était réglé recta, ça ne faisait pas un pli. Papa regardait ce film comme fasciné, je ne savais pas si c'était la ville bombardée par le soleil, toute vidée de ses habitants, ou bien l'histoire d'amour entre l'employé et le mannequin qui le captivait autant, mais on aurait dit qu'il essayait d'hypnotiser le téléviseur et qu'il allait lécher l'écran. Moi, ça m'a fait venir une idée, d'abord un peu confuse, et puis ça s'est éclairci le lendemain matin : dès l'aube, je me suis retrouvé dans la cave à la recherche du matériel de pêche de papa. L'hameçon de 12 m'a paru énorme et tout rouillé. J'ai repensé au film *Paris au mois d'août* et à Aznavour avec son hameçon planté dans la main. Je me suis dit que c'était pour la bonne cause. Au fond, je faisais ça pour Marie-José, pour éviter qu'elle ne m'entende beugler et qu'elle ne soit déçue. C'est rigolo d'être ridicule, mais quand on a appris à voir les choses de façon un peu plus digne et élevée, eh bien, on en a assez. Tel était mon point de vue. Voilà tout. J'ai fermé les yeux et je me suis crocheté la main gauche. J'ai hurlé un grand coup, ma vue s'est brouillée et papa, heureusement, est arrivé juste à temps pour me rattraper avant que je m'écrase par terre. Ensuite il m'a enrobé la main d'un grand chiffon qui rougissait, rougissait, au fur et à mesure qu'on approchait de l'hôpital avec la Panhard. Des guirlandes ornaient le couloir des urgences, et un gros Père Noël semblait veiller sur les malades. Pendant qu'on attendait, papa m'a dit :

— Quand même, je me demande comment tu as fait pour te pêcher toi-même, comme ça, dans la cave, à l'aube…

Pour couper court, j'ai poussé deux ou trois gémissements supplémentaires.

— Maintenant tu me fais penser au gros brochet que j'ai pêché dans la Loire il y a vingt ans…

— Papa, j'ai dit, avant de m'évanouir tout à fait, papa, t'inquiète pas, c'est à cause de l'amour, qui est la fin de l'exil de soi-même…

J'ai senti sa main sur ma tête, et c'était la compréhension.

8

Quand Haïçam, le jour de la rentrée, après les vacances de Noël, m'a demandé pourquoi j'avais un gros pansement autour de la main, j'ai été tenté de tout lui dire, avec la vérité depuis le début, et de lui demander aussi comment j'allais m'y prendre pour aider Marie-José. Mais finalement je lui ai dit que je m'étais coincé la main dans le capot de la Panhard et il m'a regardé d'un drôle d'air qui devait signifier : mais pourquoi est-ce que tu me mens, puisque tu sais que ce n'est pas la peine ? Il jouait aux échecs avec son père, et de temps en temps ils échangeaient des termes bizarres auxquels je ne comprenais toujours rien : défense est-indienne, défense nimzo-indienne, ligne Rubinstein, variante Sämisch, variante Spielmann, défense sicilienne. Pour la première fois je me mettais à détester ce jeu aussi compliqué et angoissant que le monde. Et le collège me semblait aussi un grand échi-quier plein de pièges sur lequel Marie-José et moi nous allions avoir bien du mal à nous déplacer, exactement comme dans le labyrinthe de la fête foraine. Depuis quelques jours, c'était un nœud dans ma gorge, et ça se serrait de plus en plus au fur et à mesure que la ren-trée approchait. Haïçam, lui, pour Noël, avait eu de son père un livre théorique sur la « révolution hyper-moderne aux échecs », mais mon souci pour Marie-José faisait, je crois, que je ne l'admirais plus tellement d'être si monstrueusement intelligent.

La partie s'est terminée ; on a commencé à mâcher des loukoums et le père d'Haïçam s'est mis à nous parler d'Istanbul, qui est la ville de Turquie d'où il venait. La Corne d'Or, le Bosphore, le pont de Galata, tout ça. Ce n'était pas tellement le moment d'évoquer tous ces souvenirs, car les élèves péné-traient en trombe dans le collège, mais ça n'avait pas l'air de beaucoup le perturber. Je n'osais pas trop le questionner de manière générale, le père turc de mon noble Égyptien, mais je lui ai tout de même demandé, ce jour-là, s'il n'avait jamais envie de retourner sur les traces de son passé.

— La Turquie n'est plus la Turquie… C'est un pays fantôme… C'est triste, mais c'est ainsi ! La seule chose à faire est de continuer à rêver sur son passé glorieux…

Je comprenais qu'il était assailli par la mélancolie des origines et je me suis mis à rêvasser, moi aussi, bercé par tous ces noms étranges qu'il prononçait souvent... Istanbul... Kassim Pacha... le pont de Galata... l'île des Princes... Cette fameuse île des Princes où il avait vécu enfant, et qu'il avait certainement voulu recréer, en miniature, dans sa loge de concierge.

La cloche a sonné et il a fallu retomber sur terre.

J'ai cherché Marie-José des yeux, et c'était l'angoisse complète. Je suis tombé sur Marcel et Étienne, qui allaient dans une autre classe. Je pensais vraiment qu'ils ne me parleraient plus jamais, que c'était la gueule jusqu'à la fin des temps, mais ils m'ont quand même demandé des nouvelles de ma main. L'annulation du concert ne leur avait pas posé trop de problèmes, car à la même période leur père avait tenté d'étrangler leur mère avec la corde *ré* de la guitare basse d'Étienne, et leur mère s'était défendue en cassant les baguettes de la batterie sur le crâne de leur père. À présent c'était la guerre totale, avec une ambiance Tchernobyl.

Ensuite j'ai remarqué que la prof de math s'était faite vraiment belle, avec un nœud dans les cheveux, ce qui était une nouveauté, rapport à la coquetterie. Elle boitait toujours, mais ça se voyait quand même moins, car son visage était plus agréable à regarder. Marie-José n'était pas là, et les pires choses me sont passées dans le crâne, avec l'idée qu'on l'avait peut-être déjà mise contre son gré dans un établissement spécialisé.

La prof nous a souhaité une bonne année, et d'obtenir tout ce qu'on désirait, et pour la première fois je pouvais mettre quelque chose de précis sur ces mots. Marie-José n'était toujours pas là, je commençais à m'inquiéter vraiment sérieusement. On a entamé un exercice, une vraie petite connerie qui me résistait encore : « Développer et réduire : A = 3(x + 1) + (x + 2) (x − 3) ».

Je me demanderai toujours d'où vient cette manie des mathématiciens de développer si c'est pour réduire juste après, soyons sérieux.

Tout le monde s'était mis à plancher, quand on a frappé à la porte et c'était Marie-José. Alors oui, on peut dire que j'ai tout de suite vu ce qu'il y avait de changé. Elle s'est excusée et a fait trois pas bien précis pour donner le billet de retard à la prof. Elle posait ses pieds bien à plat sur le sol et ça lui donnait vaguement la démarche d'un cosmonaute. Elle avait les yeux fixes, mais moi, je me suis rendu compte qu'ils étaient vides. J'ai regardé ses pieds et j'ai vu qu'elle s'appliquait à faire des pas bien réguliers. Elle s'est assise tranquillement. Elle a sorti ses affaires comme d'habitude, sauf que ce n'était pas du tout comme d'habitude. Je ne savais pas quoi lui dire et sa tranquillité me fichait la trouille, une trouille au plutonium, c'est le mot qui m'est venu à l'esprit à ce moment-là. Pendant que les autres bossaient, Marie-José a murmuré pour moi :

— Vite… dis-moi ce qu'on doit faire.

J'ai dit le plus bas que je pouvais :

— « Développer et réduire : A = $3(x + 1) + (x + 2)(x - 3)$ ».

— Bon. Travaille de ton côté.

Elle s'est mise à réfléchir de façon très concentrée en remuant un peu les lèvres, puis elle a essayé d'écrire sur une feuille de cahier, mais ça partait dans tous les sens, ça descendait, ça remontait en zig et en zag et montagnes russes à gogo, un vrai grand-huit arithmétique, si vous voulez mon estimation. Avec ses yeux tout fixes et cette écriture tourneboulée, c'était un coup à se faire serrer dès le premier jour, ou en tout cas à élever de sérieux soupçons. La prof a commencé à boitiller entre les rangs avec son enfant mort toujours bloqué dans sa jambe droite ; c'est drôlement lourd, un enfant mort, surtout quand il se loge quelque part dans le corps. Je me suis dit qu'elle allait voir l'écriture toute déglinguée de Marie-José, alors je n'ai fait ni une ni deux, je lui ai arraché le papier et je l'ai posé devant moi. Tout le monde a regardé dans ma direction et la prof s'est amenée à ma hauteur. Je lui ai tendu la feuille.

— Voilà le résultat, lui ai-je dit d'un ton assuré, c'est très mal écrit, mais je crois que c'est juste.

— Oui, c'est juste, mais pourquoi un torchon pareil ?

Mon cerveau a fonctionné rapidement et j'ai sorti :

— C'est à cause de la rage…

— La rage ?

— La rage mathématique. La fureur, l'instinct, si vous voulez. On a souvent remarqué le même phénomène pour la poésie ou la musique.

Je la regardais droit dans les yeux. J'ai remarqué que dire n'importe quoi d'un ton très assuré est souvent la meilleure solution pour vous tirer d'un mauvais pas. Elle ne savait plus trop quoi dire et Marie-José a détourné l'attention en demandant si elle pouvait donner la réponse à toute la classe :

— A $= 3(x + 1) + (x + 2)(x - 3)$. Donc A $= 3x + 3 + x2 - 3x + 2x - 6 = x2 + 2x - 3$.

J'étais vraiment épaté, parce qu'elle avait sorti tout ça du noir sans pouvoir se raccrocher à rien, seulement au trapèze de l'intelligence et de la mémoire. Moi, j'étais décidément un vrai miteux. Pendant que tous les autres rangeaient leur sac comme des furieux, Marie-José s'est penchée vers moi mine de rien, et m'a chuchoté :

— Tu te mets devant moi pour m'ouvrir le chemin. Ne t'éloigne pas trop, je ne me repère pas encore très bien. Essaie de faire un peu claquer tes talons sur le sol pour que je ne perde pas le fil…

Elle avait un pauvre sourire grimaçant. Dans les couloirs, on m'aurait pris pour un danseur de flamenco. J'ai croisé Van Gogh, qui avait encore un bout de sparadrap sur l'oreille ; il m'a dit :

— Tiens, tu as été en Espagne pendant les vacances ?

Mais je ne voulais pas m'abaisser, alors je lui ai simplement répondu que je l'emmerdais. Il m'a dit qu'il m'emmerdait aussi, mais j'avais prévu le coup et je lui ai répondu du tac au tac :

— C'est normal que tu m'emmerdes, parce que tu es un trou du cul.

Je ne sais pas pourquoi, mais cette réplique, elle cloue le bec à tous les coups. C'est étonnant tout de même.

On est arrivés dans la cour, Marie-José et moi, et là, je l'ai lâchée, exactement comme un planeur que l'avion tracteur laisse voler seul. Je l'ai vue qui marchait d'un pas décidé, mais ses lèvres remuaient un tout petit peu, et je me suis rendu compte qu'elle comptait les pas qu'elle faisait, que sûrement elle avait fait pareil pour donner son billet à la prof et rejoindre sa place. Et rien qu'à cette pensée j'ai cru que j'allais m'évanouir d'admiration, avec des larmes aux yeux, enfin j'exagère un peu, mais j'ai bien le droit.

Le soir, sur le chemin vers sa maison, elle m'a confirmé la chose : ça faisait des semaines qu'elle prenait des mesures, et maintenant tout était enregistré dans sa tête. Le collège était devenu comme une immense figure géométrique découpée en carrés, toute mesurée de long en large.

— Tu vois, par exemple, pour aller de la loge de ton copain égyptien aux casiers des cahiers de texte, il faut douze pas. De l'entrée au bureau de Lucky Luke, il en faut vingt-huit si on passe du côté droit, et trente-sept si on passe du côté gauche. Des toilettes au réfectoire, il faut soixante-dix-huit pas, sauf s'il y a des panneaux d'exposition, auquel cas il faut tout contourner, et alors ça fait cent dix-sept pas.

On a continué dans la direction du village et j'étais étonné, car elle avait l'air de savoir où elle allait. Je me suis demandé si elle ne me menait pas en bateau et si elle était véritablement devenue aveugle, mais j'ai tout de suite eu honte de ce que je pensais. D'ailleurs, à un moment, j'ai pas eu le temps de réagir, je regardais autre part et j'ai entendu un drôle de bruit, comme si on frappait contre un gong. Je l'ai retrouvée par terre, sous la boîte aux lettres dans laquelle elle s'était cognée. Elle se frottait le front, une grosse bosse rouge poussait et son visage était tout fané, et alors j'ai bien compris que c'était le découragement ; elle paraissait forte et fière, et encore plus depuis qu'elle cachait sa maladie, mais tout ça, c'étaient des histoires énormes en raison de sa dignité, en fait elle était comme tout le monde, toute seule et perdue avec son malheur. Elle se retenait de pleurer, ça me faisait drôle de voir des larmes toutes transparentes au bord de ces yeux qui ne voyaient plus rien. Je me suis penché vers elle, elle s'est agrippée à mon bras ; c'était comme un poids que je soulevais très facilement, exactement comme mon petit merle tout faible, et cette scène, quand je la revois, elle se déroule au ralenti. Elle s'est remise debout et on a repris le chemin sans parler ; elle est restée accrochée à mon bras, tout gentiment, et je ne savais pas si je craignais ou si j'espérais croiser une connaissance. J'avais souvent vu des vieux couples se promener ainsi en tandem, et arrimé de cette façon j'avais l'impression d'être bien plus lourd sur la terre, plus flou du tout ; j'ai repensé à la théorie de papa sur l'amour et la fin de l'exil et c'était exactement ça. Je la regardais du coin de l'œil, car j'avais l'impression qu'elle me sentirait l'observer si je le faisais sans discrétion. J'avais entendu dire dans une émission de radio que les gens privés de la vue ont beaucoup d'intuition. J'avais même cherché dans le diction-naire.

Intuition : *Forme de connaissance immédiate qui ne recourt pas au raisonnement. Sentiment plus ou moins précis de ce qu'on ne peut vérifier, de ce qui n'existe pas encore.*

C'est pratique, l'intuition, ça sert beaucoup dans l'existence.

On arrivait en vue de l'église quand elle m'a demandé :

— Qu'est-ce que tu t'es fait à la main gauche ? C'est quoi ce pansement ?

— Je me suis pêché.

— Tu t'es pêché ?

Elle s'est tournée vers moi et ça a été dur, pas drôle du tout, parce qu'elle s'est mise à planter ses yeux dans les miens. Je n'avais pas le mode d'emploi pour fixer des yeux aveugles.

— Oui, enfin, je me suis planté un hameçon de 12 dans la main en fouillant dans le matériel de pêche de papa. Après, je me suis emmêlé avec le fil, j'ai tourné le moulinet. Je peux te dire que j'aimerais pas être un brochet.

Je la regardais entre les yeux, en haut du nez, pour ne pas me troubler, car je n'osais pas non plus regarder tout à fait ailleurs. Et là, j'ai été soufflé, parce qu'elle m'a dit :

— Oui, je sais, ne t'inquiète pas, il est très difficile de regarder un aveugle droit dans les yeux… Fais comme tu peux ; si tu veux, je peux éviter de te regarder pour te parler…

— Me *regarder* ? Mais enfin, c'est moi qui te regarde, excuse-moi.

— C'est ce que tu crois, car tu ne le sais pas ; mais je te regarde. Tu veux que j'arrête ?

Ce devait être à cause de l'intuition qu'elle disait ça, de la forme de connaissance sans le raisonnement, qui est bien pratique. Alors moi, qu'est-ce que je pouvais bien dire ?

— Non, je préfère que tu continues à me regarder… J'aime bien quand tu me regardes…

Certaines choses, on se rend compte qu'elles sont vraies seulement après les avoir dites. Elle a souri, et alors c'est vrai, je me suis dit, il n'y a pas que les yeux pour regarder. Petit à petit quand même, dans la vie, on finit par se rendre compte de certains trucs très importants, c'est à peine croyable, parce que jusque-là on s'en fichait. Tout doucement on devient moins petit, sûrement.

Les forains avaient quitté la place et les boulistes étaient revenus. Parfois on entendait s'entrechoquer les boules de métal.

— Si on entrait dans l'église ? a demandé Marie-José.

J'ai repensé à la première fois où j'avais pénétré dans cette petite église et j'ai réalisé qu'en quatre mois j'avais plus fréquenté l'église qu'en douze ans. À l'intérieur, c'était sombre et froid et je me suis dit que les églises, c'étaient pas des endroits tellement accueillants pour recevoir des gens qui ont besoin d'être consolés. Le confort, c'est important pour la consolation. S'il faut souffrir encore plus pour être consolé, c'est pas drôle du tout. Je sais qu'il ne faut pas trop s'écouter, mais quand même. Dans l'église, je me suis bien rendu compte que c'était elle qui me guidait et non plus le contraire ; vraiment, on aurait dit qu'elle y voyait tout à fait, et que moi j'étais tout aveuglé. On s'est arrêtés devant une Sainte Vierge qui tenait dans ses bras son fils tout esquinté. Moi, ces choses-là, de la religion, ça ne m'a jamais trop plu ; le type sur sa croix, il me revient pas trop pour être franc, il faut bien dire ce qui est. Mais dans la circonstance présente, j'avais à cœur de m'inté-resser et de montrer que j'étais ouvert aux choses de l'esprit. Devant la Sainte Vierge, Marie-José murmurait et je me suis dit qu'il devait s'agir d'une prière. Ensuite elle s'est penchée vers moi et m'a demandé :

— Tu crois aux miracles, toi ?

Pour répondre, j'étais bien embarrassé, vous pouvez me croire.

— Ça dépend… ai-je dit, dans le doute.

— Ça dépend de quoi ?

— Oh… ça dépend… ça dépend… eh bien : ça dépend du miracle !

Bon alors on n'a plus rien dit, et avant de la laisser devant sa grosse maison toute carrée, je lui ai dit qu'il ne fallait pas qu'elle oublie l'argent pour la visite au musée du Louvre, où notre prof de dessin voulait nous emmener au printemps. Elle s'est pincé les lèvres et j'ai vu qu'elle était bien embêtée, parce que les tableaux, c'est pas comme les mathématiques, c'est bien plus compliqué quand on ne voit rien du tout. Je lui ai dit que j'allais réfléchir à la question. Après, on s'est séparés, et je l'ai vue qui suivait, un peu raide, l'allée du jardin. Elle comptait les pas, je crois, de façon très concentrée, c'était sa vie à présent, une vie à pas comptés.

J'ai couru jusqu'à notre maison. Papa fouillait dans le moteur de la Panhard. Il m'a demandé si je voulais l'aider, mais je lui ai répondu que j'avais du travail. Il avait envie de sourire, mais j'ai bien vu qu'il essayait de se retenir. Je lui ai quand même conseillé de vérifier la turbine aérodyne à double effet, car il me semblait que le moteur chauffait sérieusement. J'ai goûté et ensuite je me suis penché par la fenêtre pour lui demander :

— Dis-moi, papa, tu sais, toi, quels tableaux on peut voir au Louvre ?

Il a levé la tête. Il tenait une clé de 18 à la main.

— *La Joconde*. On peut voir *La Joconde*, au Louvre. De Léonard de Vinci.

J'avais de la chance, d'avoir un père super cultivé.

Dans ma chambre, j'ai sorti mon matériel de peinture. J'ai disposé les tubes avec soin et ordre sur ma table. Beaucoup était raplapla et on aurait dit une colonie de limaces de toutes les couleurs. Dans le dictionnaire, j'ai trouvé une *Joconde* et j'y ai appris que ce nom venait d'un mot italien qui signifie « serein ». Alors j'ai été chercher plus loin, car je me demandais quel rapport il pouvait y avoir avec les oiseaux. J'ai trouvé :

Serein : *Qui est à la fois pur et calme. Personne dont le calme provient d'une noblesse ou d'une paix morale qui n'est pas troublée.*

C'était la définition de mon cher Égyptien, ni plus ni moins. Alors je me suis mis au travail bien disposé et plein de sympathie pour cette *Joconde*.

À la fin de la soirée, papa est venu me souhaiter bonne nuit. Je lui ai tendu mon œuvre.

— Tu reconnais ?

— Évidemment.

J'ai souri. J'étais vraiment super satisfait et soulagé. Sûrement, au musée, on allait nous demander de reproduire ce tableau, qui est le plus célèbre ; et en

cas de coup dur, il me suffirait de glisser ma repro-
duction à Marie-José.

— Évidemment que je reconnais. C'est un plat de
spaghettis bien fumant ; avec le gruyère dans le petit
ramequin, là.

9

La vie, il y a des moments où, vraiment, c'est pas facile. Je m'en suis rendu compte rapidement. C'est surtout la responsabilité qui est encombrante et qui cause du souci. Il n'y a pas à dire, les tracas des autres, quand ils deviennent aussi les nôtres, eh bien, notre vie, elle change complètement, parce qu'on a quelqu'un à sauver et qu'il faut être à la hauteur. Avec les animaux, c'est un peu pareil, par exemple mon merle tout mal foutu, eh bien, il ne pesait pas tellement lourd, mais c'était un poids terrible, et même s'il reprenait des forces et de la vigueur, c'était l'angoisse du sauvetage. Alors un humain, vous pensez ! Le plus dur, ça a été l'écriture, parce que la mienne était toute tarabiscotée et tirebouchonnée, et celle de Marie-José toute repassée et tirée, comme ses chaussettes. Elle me donnait des modèles et je m'entraînais à les recopier le soir. Ensuite j'avais mal au poignet comme si j'avais joué tout Roland-Garros. En rentrant du collège, on s'attelait à nos devoirs, je lisais les énoncés, et elle trouvait les solutions, que je devais écrire sur son cahier. Elle était la tête, et moi le bras. Pendant qu'elle réfléchissait, je regardais sa chambre, qui était blanche, jaune et toute brillante. C'était le silence tout autour et on voyait par la fenêtre les grands arbres du jardin se balancer doucement. Au bout d'un moment Marie-José me chuchotait la réponse, comme si elle avait peur de me réveiller. Et moi, j'écrivais. D'autres fois, on avait un livre à lire, et alors forcément je devais lui faire la lecture. Moi, les années d'avant, la lecture, je n'avais jamais vraiment pu blairer ça. Tout le monde me disait qu'on apprend des tas de choses dans la littérature, mais franchement qu'est-ce qu'il pouvait y avoir à apprendre dans ces histoires inventées et qui se ressemblaient toutes ? J'avais toujours eu l'impression que les livres, c'étaient un peu comme des pistolets chargés et qu'il fallait s'en méfier, parce qu'un accident est vite arrivé. Maintenant, avec Marie-José, c'était différent, bien sûr. Parce que, je ne sais pas, il y avait quelque chose en plus, c'étaient les mots qui entraient en moi, beaucoup moins durs, et quand ils en ressortaient, ils étaient tout transformés pour Marie-José. Je comprenais que les personnages qui vivaient dans les livres, c'était elle, c'était moi, c'était nous. En comprenant leur

vie et leurs sentiments, c'était ma vie et mes sentiments que je commençais à comprendre. Comme ça,
j'ai mouliné *Le Grand Meaulnes*, qui est une drôle
d'histoire avec beaucoup de brouillard et d'étangs,
une pièce de Molière où je faisais tous les rôles, le
mari cocu, la femme Angélique mais qui n'a rien
d'un ange, le gentilhomme et les domestiques, et un
roman du Moyen Âge, où un chevalier se bat contre
d'autres chevaliers, un serpent et un monstre, pour
terminer complètement maboul. Un jour qu'on
venait de terminer un de ces livres, j'ai dit à Marie-
José :

— C'est pas mal, la littérature, finalement. Comme
distraction, je veux dire. Mais ce qui me semble
bizarre, c'est qu'on puisse l'étudier. Franchement, je
vois pas du tout ce qu'il y a à étudier là-dedans. Mais
alors vraiment pas.

— Et tu sais quoi ? Il y a des gens qui passent de
longues années à écrire de gros livres sur les livres
qu'on a lus. Ça s'appelle des thèses.

— Et ça intéresse qui ?

— Personne. Enfin, presque personne. Mais ça ne
fait rien, ce sont des gens très savants qu'on appelle
des docteurs.

Décidément, j'en apprenais tous les jours. J'ai
pensé que si ça ne faisait pas de bien, cette activité,
ça ne faisait pas de mal non plus, chacun ses petites
manies. Papa, avec les Panhard, c'était un peu la
même chose. C'étaient des voitures que plus personne

n'achetait. Pourtant elles avaient eu du succès, vu que M. Panhard, au début du XXe siècle, c'était le premier constructeur français. Ce qui lui plaisait, à papa, ce devait justement être ça, je veux dire que c'étaient des voitures en voie de disparition, et il fallait bien en sauver autant qu'on pouvait pour s'en souvenir, et le souvenir, c'est le premier devoir des hommes.

Dans cette histoire, ce qui était vraiment difficile, c'était quand on devait subir une interrogation écrite. Dans ces cas-là j'avais des sueurs froides trois jours avant ; ces jours maudits de contrôle, il fallait faire très vite, car je devais avoir le temps de recopier mes réponses en imitant l'écriture de Marie-José au garde-à-vous. Ces responsabilités m'avaient fait faire de gros progrès, et j'étais même capable de glisser quelques erreurs dans ma copie pour ne pas attirer l'attention. Je voyais bien que la prof de math suivait mon évolution avec un mélange d'admiration, de soupçon et d'amusement. Elle me souriait souvent, et moi aussi. Un jour, après le cours, elle m'avait dit d'un drôle d'air :

— Tu changes, Victor, tu changes…

J'avais répondu du tac au tac :

— Vous aussi, madame, ou mademoiselle d'ailleurs, vous changez. Je le vois bien, vous avez des bidules dans les cheveux qu'on ne vous voyait pas avant, et du bleu sous les yeux.

Elle s'était mise à rougir tellement que le collège aurait pu faire des économies d'énergie pendant un an, et j'ai bien vu que c'était une période de fusion du réacteur sentimental. Je n'ai pas osé lui dire que j'avais bien remarqué qu'elle boitait moins. Ce n'était pas encore bien visible, mais moi, l'observation, j'ai ça dans la peau. Ça me faisait plaisir de constater qu'elle se rétablissait. À la télévision, j'avais vu des animaux de toutes sortes en danger à cause du pétrole, et j'avais dit à papa que la prof de math me faisait justement penser à ces bestioles immobilisées par le mazout. Qu'il faudrait la mettre dans une machine à démazouter les oiseaux, qu'elle pourrait peut-être s'en sortir et reprendre son envol, elle aussi. Il avait dû croire que je n'étais pas bien, parce qu'il m'avait dit :

— Tu travailles trop, je crois. Tu surchauffes.

La prof m'avait encore dit qu'elle était contente de me voir réussir, et que l'amitié, c'était un grand soutien, pas seulement à l'école, mais dans la vie en général. Bien sûr, elle ne savait pas à quel point elle avait tapé dans le mille.

— Vous avez raison, lui avais-je dit, j'ai vraiment beaucoup de chance d'avoir une amie comme Marie-José. D'un autre côté c'est embêtant, à cause de l'humidité.

— De l'humidité ?

— Oui, vous savez bien, quand on se sent tout petit à côté de quelqu'un qui vous dépasse…

— L'humilité, tu veux dire.

Humilité : *Sentiment de sa faiblesse, de son insuffisance, qui pousse l'homme à s'abaisser volontairement en réprimant en lui tout sentiment d'orgueil.*

— Oui, c'est ça. Parce que, vous comprenez, il n'y a pas que la musique... Quand elle a le temps, elle lit de la philosophie... Avant de la connaître, je ne savais même pas que ça existait. Vous saviez, vous, que « philosophie », ça veut dire « amour de la sagesse » ?

— Non, je ne savais pas. Tu vois, tu m'auras appris quelque chose.

Depuis que Marie-José ne voyait plus, et quand on avait terminé nos devoirs et prévu les embûches du lendemain, elle me demandait d'aller prendre un livre de philosophie dans sa bibliothèque, avec en général des titres à coucher dehors. Elle m'a expliqué que plus tard il me faudrait suivre des cours de philosophie, que si elle n'avait pas choisi d'étudier la musique, elle aurait sûrement choisi cette spécialité, mais que maintenant, de toute façon, elle n'avait plus le choix. Un jour quand même j'ai voulu l'épater et j'ai cherché une documentation sur les plus grands philosophes. J'ai pris des notes sur Platon et Aristote, l'histoire de la caverne et des ombres et des trucs sympas de ce tonneau. Le lendemain, j'ai amené la conversation sur la question et j'ai voulu débiter mon discours pour lui montrer que je n'étais pas un plouc, enfin, pas qu'un plouc. Mais comme j'ai commencé par dire que selon moi les deux plus grands philosophes étaient Platote et Ariston... je me suis dégonflé. Marie-José a éclaté de rire et a déclaré que j'étais un génie, un vrai génie. Je ne savais pas si je devais être flatté ou vexé.

De nombreuses autres choses me surprenaient chez Marie-José, et me remplissaient d'admiration. Nous avions très peur, l'un et l'autre, qu'un prof ne lui demande de lire un texte en classe. Pour éviter ça, je levais toujours la main pour me faire interroger. Les autres pouvaient bien penser de moi ce qu'ils voulaient, ce que je pouvais m'en moquer ! Alors je levais la main comme si ma vie en dépendait, et c'était un peu vrai. Mais un jour la prof de français a voulu nous faire lire une poésie très difficile d'un poète très jeune qui se sauvait sans arrêt de chez lui et qui d'un seul coup s'était arrêté d'écrire pour aller faire du trafic d'armes quelque part en Afrique. Total : on l'avait retrouvé à Marseille, où il avait fallu lui couper une patte. Moi, ce que je dis, c'est que ça ne donne pas du tout envie d'être poète. Enfin bref, la prof a demandé à Marie-José de lire, et là, je me suis dit que c'était la catastrophe, la fin de tout ; je me suis senti devenir aussi pâle que ma feuille, avec les quadrillages, la marge sûrement, et aussi en supplément les trous pour le classeur, telle-ment j'étais mal. J'ai réfléchi à ce qu'il fallait faire. J'étais prêt à me laisser tomber de ma chaise et à me rouler par terre pour détourner l'attention, tant pis pour la dignité. Mais ça n'a pas été nécessaire, parce que, comme ça, sans broncher, Marie-José s'est mise à sortir le poème sans accrocher nulle part. Je me suis de nouveau demandé si elle ne s'était pas complètement moquée de moi depuis le début. Sinon comment est-ce qu'elle aurait pu sortir toute cette histoire de bateau soûl et d'Indiens, du tac au tac, comme une boîte à musique ? Tout le monde a des limites, même Marie-José, malgré son violoncelle et son amour de la sagesse.

Dans la cour de récréation, on attendait le service de la cantine et je lui ai demandé si ses yeux allaient mieux.

— C'est à cause du poème que tu dis ça ? Ça n'a rien à voir. D'abord Arthur Rimbaud est mon poète préféré. Et ensuite j'en connais des centaines, de poèmes… C'est bien tombé, voilà tout.

— Mais enfin, Marie, comment est-ce que tu peux te fourrer autant de trucs dans le crâne ? C'est pas possible, à la fin !

Elle souriait tendrement. Sûrement à cause du Marietoutcourt. C'était venu tout seul : Marie. Tout simplement. C'était comme si je l'avais tutoyée pour la première fois. Elle a haussé les épaules. Marie. Marie. Marie. Ça me semblait aussi gonflé qu'une demande en mariage.

— Il y a quelques années j'ai été malade pendant plusieurs mois. C'était le début, pour mes yeux. Je ne pouvais plus aller à l'école. Alors j'ai pu apprendre beaucoup de choses. Pour tuer le temps, j'ai appris le piano.

— Toute seule ?

202

Elle a haussé les épaules.

— Ce n'est pas très difficile. Tu appuies où on te dit d'appuyer, c'est tout. Et de toute façon le piano, c'est juste pour me distraire, ce n'est pas sérieux.

— Si tu veux savoir, je commence à comprendre pourquoi tu deviens aveugle... C'est comme dans les courses de Formule 1 : quand un champion est vraiment trop fort et que ça tue le mystère, eh bien, on lui impose un handicap ; toi, le bon Dieu, il t'impose ce handicap parce que sinon ce n'est vraiment pas juste pour les autres.

— Tu crois au bon Dieu, toi, maintenant ?

— C'est façon de parler. Le hasard, quoi, si tu préfères... Tu te souviens de ce que la prof a dit du poète très doué avec sa gangrène et sa jambe coupée ?... Eh bien, moi, je dis que c'est encore une histoire de handicap. Plus t'es doué et plus tu morfles. Moi, je ne risque pas grand-chose, mais je suis très inquiet pour toi et pour Haïçam.

Elle me regardait, si on peut dire, d'un drôle d'air. Je voyais bien qu'il y avait des choses que je disais parfois qui la faisaient réfléchir très profondément, ça me flattait. C'est important dans la vie, l'amour-propre. Le pas propre aussi, d'ailleurs.

La sonnerie du premier service a retenti et nous nous sommes dirigés vers la cantine. C'était toujours un moment délicat. D'abord c'était toujours la compression totale dans l'escalier, avec du danger pour Marie ; je montrais les dents et faisais rouler mes poings en me tortillant dans tous les sens pour faire autour d'elle comme une zone de protection, un genre de réserve naturelle pour les espèces rares à préserver. Comme tout le monde se souvenait de l'épisode avec Van Gogh, on ne cherchait pas trop à braconner dans nos eaux territoriales.

Arrivés devant le self, il fallait choisir les plats et là, franchement, il y avait de quoi rire, à cause des performances dont seul le hasard est capable. Marie passait devant moi et je la voyais empiler sur son plateau des menus de compétition genre rillettes + œuf mayonnaise + cassoulet + choucroute. Ou alors c'était l'inverse et elle se composait un menu du style privations religieuses pour faire souffrir le corps.

Parfois elle tâtonnait, hésitait et finissait par plonger le doigt dans un ravier de compote, de purée ou de fromage blanc. À la fin, on avait l'impression qu'elle s'était peint les doigts.

— Mademoiselle est au régime ? disait avec un sourire moqueur Didier, le cuisinier, qui surveillait sa cantine comme une tour de contrôle.

— Ça creuse, les études, elle se contentait de dire.

C'était à moi de compenser et de restaurer l'équilibre alimentaire. Alors je m'adaptais en conséquence, et sur mon plateau c'était du béton armé avec des montagnes de saucisses plantées dans de la purée ou bien la diète totale avec du vert et des transparences fibreuses partout. Le grand Didier se moquait à sa façon tendre :

— Tu deviens végétarien ? il me demandait, avec les mains sur les hanches. Tu bouffes plus que des graines et des feuilles ?

— Le vert ? C'est pour me libérer l'esprit, sans vous offenser.

Le grand Didier ne cherchait pas trop à comprendre ; il voulait surtout qu'on se nourrisse, même dans le désordre, car c'était le genre protecteur de la jeunesse chargé de veiller aux choses essentielles. Il était très à cheval sur le respect de la nourriture et il s'assurait en personne qu'on ne laissait rien dans nos assiettes. Ceux qui ne mangeaient pas tout étaient collés, et ils devaient venir finir leur repas après les cours.

À table, il y avait du troc dans l'air :

— Je t'échange ta choucroute contre mes carottes râpées, mais tu gardes la blanquette de veau.

— Adjugé, comme dit mon père. Mais là, au milieu, dans cette assiette, c'est quoi ?

— C'est le bœuf bourguignon. Va falloir faire un effort.

J'avais l'impression que nous nous nourrissions l'un l'autre, et je pensais à la pomme d'amour que nous avions partagée à la fête foraine ; je pensais que les choses de la nourriture prises en commun, c'était le sommet de l'intimité. Les autres, intrigués, observaient cette valse au-dessus de nos plateaux, mais l'envie de commenter leur passait à toute allure quand ils voyaient mon sourire sulfurique.

Tout de même, ça devenait étrange, ces plateaux de sumo. Alors j'ai pris l'initiative stratégique de m'exprimer à haute voix dans la file du self :

— Oh ! quelle belle betterave ! Là, juste devant moi, elle est vraiment superbe !

On souriait un peu autour de moi. J'y allais quand même de plus belle, pour me faire comprendre, en me tournant vers les autres ; c'était malin :

— Je ne savais pas que c'était la saison des carottes ! Vous le saviez, vous ? J'en vois justement une barquette à ma droite !

J'avais l'impression de téléguider la main de Marie et ça me filait une émotion qui me consolait de passer pour un agité du bocal auprès des élèves. Parfois je m'adressais directement aux dames de service, et j'admirais mon astuce et ma discrétion :

— Alors, mesdames, je beuglais, vous me conseillez le poisson-haricot vert à droite ou le poulet-frites à gauche ? Hein ? Poisson à droite… Poulet à gauche…

Elles ouvraient des yeux comme des billes, avec la bouche entrouverte.

— Franchement… poisson à droite… poulet à gauche, j'hésite…

Un jour j'ai vu une de ces femmes de service s'éloigner en cognant son doigt contre sa tempe, toc-toc, alors je me suis posé des questions sur ma stratégie.

Et encore, la cantine, c'était rien à côté des sueurs froides du sport. On n'avait plus que quelques semaines à tenir, à peine deux mois, et heureusement pour nous c'était un moment de l'année où les filles et les garçons étaient rassemblés, comme toujours au printemps. Honnêtement, le sport, je n'ai jamais rien eu contre ; mais rien pour non plus. Quand on courait pour s'échauffer autour du stade, Marie avait tendance à tirer sur la gauche et à sortir de la piste, et une fois j'avais fini par la retrouver au milieu du terrain de foot à trottiner au hasard sur la pelouse ; j'avais beau me tenir tout près et serré, elle terminait toujours dans les choux. Au volley, c'était encore pire : elle tenait bravement ses bras en l'air pour faire comme si, mais dès qu'un ballon lui arrivait dessus elle se le prenait sur la tête, ou alors elle tentait de le frapper alors qu'il était déjà au sol, et on voyait bien qu'elle était toute décalée avec les événements. Ça me serrait le cœur de la voir frapper dans le vide, et au hasard, comme ça. J'avais l'impression qu'elle se battait contre le destin, qui n'est jamais là où on croit. Et le pire, ça a été la fois où j'ai insisté pour qu'elle tienne la place de gardien de but au handball. Gardien, c'est toujours un peu la planque, quand même, je me disais ; la plupart du temps on est tranquille. J'étais au milieu du terrain, un œil sur Marie et un autre sur les attaquants de l'équipe adverse ; j'ai bien remarqué qu'elle commençait à se tourner sur le côté, comme si elle entamait une grande discussion avec le poteau, puis qu'elle se mettait totalement à l'envers. Au final, les genoux pliés comme un gardien de but attentif, les mains un peu en avant comme prête à recevoir le ballon, elle tournait le dos au terrain et faisait face au filet et au mur du gymnase en nous tendant ses fesses. Je me suis dit que, cette fois, franchement, on était bon, alors j'ai jeté tous mes atouts dans la corbeille. Je me suis écroulé au sol en beuglant comme un goret et en me tenant la cheville, ce qui a jeté la confusion juste ce qu'il fallait pour détourner l'attention. Plus loin, Van Gogh, comme furibard, faisait rebondir le ballon super rageusement. Et je me suis dit qu'on était vraiment sous haute surveillance.

*
* *

La sortie au musée du Louvre a fini par avoir lieu. On s'était entraînés toute la semaine précédente, Marie et moi, mais ce n'était pas concluant. Marie m'avait indiqué les œuvres les plus célèbres qu'on pouvait nous demander de reproduire et donné une encyclopédie de la peinture.

— Autant accrocher un pinceau à la queue d'un âne ! je m'étais lamenté, totalement découragé.

— Tu crois pas si bien dire, elle m'avait dit, écoute un peu…

Alors elle m'avait raconté une drôle d'histoire qu'elle tenait de son père. À Paris, à la fin du XIXe siècle, des artistes qui fréquentaient les cabarets de Montmartre avaient accroché un pinceau à la queue d'un âne. Puis ils avaient placé une toile derrière la bestiole, qui s'était mise à peindre comme un furieux. Ils avaient ensuite proposé le tableau à un Salon et des critiques très savants avaient crié au génie. Ils s'étaient émerveillés devant la sûreté du trait, le choix original des couleurs et la sensibilité d'exécution. On croyait voir sur la toile une forêt dans le brouillard ou un océan sous la tempête.

— Tu vois, tu as toutes tes chances !

Dans le musée, c'était vraiment bizarre de l'observer se poster devant des tableaux inconnus de tous pour, après m'avoir demandé de lui en chuchoter le titre, faire des commentaires comme si elle les voyait parfaitement. J'étais obligé de me tenir devant elle, comme un invisible fil d'Ariane, parce que le Louvre, c'est comme un grand labyrinthe. Je me faisais souvent cette réflexion mythologique depuis que Marie m'avait donné des indications sur cette Ariane. Au début, je pensais qu'il s'agissait de la fusée, alors évidemment je ne comprenais pas bien le rapport. Mais en fait, non, c'était la jeune femme qui par amour avait sauvé Thésée en lui permettant, grâce à une pelote de fil, de sortir du labyrinthe où il était venu affronter l'affreux Minotaure. Les histoires de la mythologie des temps anciens, je trouve ça toujours très éclairant sur les hommes modernes. C'est comme un grand dictionnaire qui donne l'impression que tout a déjà été vécu une première fois au brouillon pour nous mettre en garde.

Au bout d'un moment le prof nous a demandé de nous asseoir en demi-cercle devant un tableau et on s'est mis à griffonner sur nos feuilles.

— Le titre, Victor ? Le titre ? Comment tu veux que je fasse sinon ?

— Il est trop petit. J'arrive pas à le lire.

— Bon, on va improviser, tu vas me le décrire.

Le prof passait parmi nous en lissant sa petite barbiche. Du coin de l'œil je pouvais voir Marie qui s'appliquait en tirant un bout de langue rose. Quand on avait une chance de passer inaperçus, je lui donnais quelques indications :

— À droite, il y a comme des arbres et des gens drôlement habillés qui circulent sur un rocher.

— Et au fond ?

— Au fond… Comme une sorte de rivière bordée de verdure.

— Et à gauche ?

— Une autre ribambelle de personnes. Les femmes portent des chapeaux gigantesques. On dirait aussi qu'il y a un cerf-volant qui flotte dans le ciel.

— Et les couleurs ?

— Le ciel, au fond, est presque blanc, sinon il y a du gris et du marron. Et aussi un peu de vert. À mon avis, ça représente une sortie de scouts. On dirait qu'ils vont embarquer sur l'eau…

— C'est sûrement l'*Embarquement pour Cythère*, un tableau du XVIIIe siècle.

— Il y avait des scouts à cette époque ?

— Arrête avec tes scouts !

— Je ne vois pas de citerne, non plus, mais bon…

— Cythère, pas citerne. Ce n'est pas de l'art pompier.

J'ai bien senti qu'il y avait quelque chose à comprendre, mais ça m'échappait.

J'ai jeté un œil sur sa feuille et c'était une vraie catastrophe, ça dégoulinait de partout, une horreur absolument, Hiro et même Shima, sans exagérer, et ça faisait de la peine de la voir lever le nez de temps à autre vers le tableau pour faire mine de s'appliquer. À un moment donné le prof s'est planté à côté d'elle et a considéré sa feuille. Elle a dû le reconnaître à son pas ou à ses semelles qui couinaient, ou encore grâce à l'intuition, qui est la qualité des aveugles. Elle a dit :

— C'est une interprétation cubiste du tableau, vous voyez ? Une demoiselle d'Avignon qui embarquerait, si vous voulez…

Le prof, lui, il se grattait le menton, la tête un peu penchée en avant.

— Oui, je me disais aussi qu'il y avait de ça dans votre travail…

Marie et moi, on s'est regardés, enfin façon de parler, je me comprends. J'étais admiratif devant son culot. J'ai pensé que dans la vie on a toujours intérêt à avoir l'air très sûr de soi. L'aplomb, il n'y a rien de mieux pour qu'on vous laisse en paix. Par contre, dès qu'il y a la moindre fissure, les mauvaises intentions et tous les dangers s'y engouffrent. Avec l'art moderne, m'a expliqué Marie pendant le trajet de retour, ce n'est pas difficile d'éviter les fissures : depuis qu'on expose des urinoirs dans les musées, eh bien, il n'y a plus à douter de rien. Je manquais de référence pour apprécier tout à fait.

À la sortie du car qui nous ramenait du musée, nous nous sommes tous dispersés. Le père de Marie était venu la chercher. Il l'attendait au volant d'une immense BM, que j'ai trouvée minable à côté de la Panhard de papa.

La douceur de ce soir de printemps me grisait. Une dentelle de nuages flottait dans le ciel, et j'avais l'impression, ce soir-là, que le temps était aussi transparent que nos vies sont indéchiffrables.

Sur le chemin, j'ai entendu qu'on courait derrière moi. C'était Charlotte, une fille de quatrième que je voyais souvent traîner avec Van Gogh. Ça m'a bien surpris, qu'elle essaie de me rattraper comme ça. Elle m'a tendu un carton d'invitation pour son anniversaire. Je lui ai demandé si Van Gogh serait de la partie et s'il fallait que je me prépare à lui bouffer l'autre oreille.

— Non, je ne l'ai pas invité. Et puis pour son oreille, ça lui a rabattu son caquet. Je compte sur toi alors, hein ?

— D'accord.

Ensuite elle a fait demi-tour pour reprendre son chemin habituel. Je ne savais pas trop ce que je devais penser de cette invitation ; ça me paraissait un peu louche, jusque-là on n'avait jamais eu trop de contacts. En même temps, il faut bien dire que depuis quelques mois j'étais devenu comme une espèce de star au collège, quelque chose comme un miraculé des études, à croire que l'ange gardien des élèves s'était penché sur mon sort. En fait, j'étais bien tenté de me rendre à cette soirée. J'avais besoin de voir du monde, de me distraire, de me changer les idées, parce que évidemment la compagnie de Marie et la responsabilité qui allait avec, c'était grave et préoccupant, et qu'après tout j'étais en âge de m'amuser sans penser à rien d'autre. Pourtant je me sentais un peu coupable, j'avais beau me justifier intérieurement comme un beau diable, je me voyais comme un traître à notre cause. Il faut dire que cette fille, c'était pas du tout le style à s'intéresser à Jean-Sébastien ni à l'amour de la sagesse, ni à aucune de ces choses élevées auxquelles Marie m'avait habitué. Mais il y avait quelque chose en moi, une sorte de démon, qui me disait que ça ne serait peut-être pas mal d'aller me rouler dans des fossés boueux, parce que quand même, sur les sommets où m'avait porté mon irremplaçable amie, eh bien, parfois on manque un peu d'oxygène.

Je suis arrivé à la maison, papa regardait la télévision. C'était une émission historique sur la révolution de 1917 en Russie.

— Tu as vu *La Joconde* ? il m'a demandé sans quitter son émission des yeux.

— Oui, papa.

— Elle t'a suivi des yeux ?

— Oui, papa, elle m'a suivi des yeux. Elle est fidèle à sa légende.

— Alors ça va. Va fouiller dans le frigo. Moi aussi, je te suis des yeux.

J'ai grignoté sur un bout de table et je suis monté dans ma chambre pendant que les Russes réglaient leur compte au tsar. Je me suis allongé sur mon lit. J'ai essayé d'imaginer ce que faisait Marie. Certainement elle était revenue du conservatoire et elle n'allait pas tarder à manger. Je me demandais si elle n'était jamais tentée de tout révéler à ses parents. Ensuite mon esprit s'est tourné vers la soirée du lendemain. Quelles filles allaient y venir ? L'adolescence, m'avait expliqué papa, c'est surtout une question d'hormones, alors j'avais cherché dans mon dictionnaire.

Hormone : *Substance chimique spécifique élaborée par un groupe de cellules ou un organe et qui exerce une action spécifique sur un tissu ou sur un autre organe.*

Eh bien, dans mon cas, c'était effectivement un organe bien spécifique qui était visé.

*
* *

Il était question que la fête se déroule dans un garage, alors ça donnait une ambiance un peu parti-

214

culière, style cambouis et pot d'échappement, mais ça avait son charme. D'abord j'étais dans mes petits souliers, parce que je ne connaissais pas grand monde, mais comme on m'interrogeait beaucoup sur mon changement au collège, j'ai pris de l'aisance, et je me suis laissé aller à dire un peu n'importe quoi, que j'étais devenu un adepte de la philosophie, qui signifie « amour de la sagesse ». J'avais fière allure, parce que j'étais vêtu de velours de haut en bas, un équipement donné par papa qu'il avait trouvé au fond d'une vieille malle et qu'il avait tenu à me voir porter ce soir-là. Il m'avait aussi dit :

— Tu ferais mieux d'aller te raser.

C'était la quatrième fois en six mois et je trouvais ça un peu exagéré, mais ça lui faisait tellement plaisir, et à moi si peu de mal.

Une petite cour s'était formée autour de moi, j'ai même prononcé les noms de Platon et d'Aristote. Une des filles m'a dit qu'elle connaissait, alors je me suis dit que ça allait se gâter pour moi, mais j'ai respiré quand elle a dit qu'elle avait vu le film au cinéma, que c'était un film de guerre très intéressant.

— Mais non, tu confonds avec *Platoon*, moi, mon Platon, il vivait en Grèce dans l'Antiquité.

Comme on m'a demandé des précisions, j'ai ajouté :

— Il discutait au marché avec Socrate. Ils ont fini par se disputer, et total Socrate a fini sa vie dans une caverne. Platon voulait à tout prix le faire sortir de là avec des sortes de bougies et des ombres chinoises.

Après, j'ai bu un coup de bière, parce que c'est moins compliqué que la philosophie et on a mis de la musique. Des filles sont arrivées, mais alors des filles dans des tenues, aïe. Et je peux même dire que ce n'étaient pas des ombres ni des reflets.

Le pire, ça a été quand il a été question de danser. J'avais sifflé un autre verre de bière et, juste après, la fille qui m'avait invité est venue me dire que je plaisais drôlement à une de ses copines qui aimait le genre philosophe en velours. Entre mes substances chimiques et mon cœur qui se serrait en pensant à Marie, et en plus à Platon et à son pote Socrate, je ne savais plus trop ce que je devais faire. J'aurais bien aimé réagir en vrai philosophe, avec une allure digne et très auguste du genre : « continuez à vous amuser sans moi, je dois réfléchir à l'existence », puis rentrer à la maison et rester avec papa, mais j'aurais eu l'air de me dégonfler. Avec papa, un jour, on avait regardé une émission de télévision dans laquelle ils exposaient bien la question. Ils disaient qu'on était à une époque où on a du mal à séparer les choses du cœur de celles du zizi, qu'avant c'était bien plus simple et que c'est même pour ça que les couples de maintenant ne pouvaient plus se blairer et qu'au bout de quelques années les gens se séparaient avec des insultes plein le bec. Sur le coup je n'avais pas bien compris ce que ça signifiait, mais ce soir-là c'était très clair. Alors quand j'ai commencé à danser avec la copine en question sur un air très crémeux qu'on avait mis tout exprès, j'ai bien senti le problème, car si en théorie c'est l'élévation du cœur et de l'esprit qui vous habite, en pratique vous vous trouvez quand même cloué au sol, et ce n'était pas du tout la fin de l'exil, comme disait papa, mais le début de l'angoisse : tout s'est mis à tourner. C'est devenu une vraie farandole de substances et d'organes spécifiques. Ça s'est terminé par une soupe de langues. Et puis par un flash. Je me suis décollé brusquement, parce que d'un seul coup je venais de réaliser que j'étais tombé dans une sorte de traquenard. Tout de suite j'ai bien senti que ma cavalière était moins chaleureuse ; ensuite j'ai essayé de trouver qui avait pu prendre cette photo, j'ai posé des questions à un peu tout le monde, mais on me regardait d'un air bizarre, comme si j'étais devenu fou. On n'osait trop rien me dire en face, parce qu'on se méfiait de moi depuis que j'avais désoreillé Van Gogh, mais j'ai quand même entendu quelqu'un murmurer :

— Si ça mène à ça, la philosophie, alors non ! Très peu pour moi !

J'étais très inquiet à propos de cette photographie. J'ai préféré disparaître rapidement. Ou bien j'allais être l'objet d'un chantage ou bien j'étais effectivement en train de devenir fou à cause du surmenage et de l'édification morale. Les émotions trop violentes, parfois ça vous détraque. Quand je suis arrivé à la maison, la Panhard ressemblait à un animal rassurant qui ne dort que d'un œil et papa ronflait déjà. J'ai voulu allumer la télévision pour me changer les idées tout doucement, mais je suis encore tombé sur une émission où il était question de drames historiques. Quand je suis dans mon état normal, j'aime bien voir ce genre de documentaires qui nous apprend plein de choses sur ce dont les hommes sont capables ; c'est instructif, je trouve. Moi, je pense que c'est bien de connaître le pire de la vie, comme ça on a plus de chance d'avoir de bonnes surprises quand on grandit. Enfin bref, ce soir-là, j'étais trop préoccupé pour fixer mon attention sur ce genre d'émissions. Ensuite j'ai eu du mal à m'endormir, parce que vraiment je me sentais coupable vis-à-vis de Marie, et aussi super inquiet de savoir que mon baiser avec la langue pouvait faire la une du journal télévisé.

Même sans la langue ça aurait été embêtant, je trouve, mais un peu moins quand même. Comment est-ce que j'allais pouvoir me justifier ? Dans des films, j'en avais vu par dizaines, des scènes comme ça, c'était un grand classique, chaque fois le bonhomme se prenait une tarte dans le nez à cause de la fidélité bafouée, des mensonges et de l'humiliation féminine. Je me suis demandé si je ne devais pas en parler à Haïçam, qui en tant que scientifique de la stratégie voyait les choses avec clarté et objectivité. Sûrement, il pourrait me conseiller.

*
* *

À force de pousser les heures les unes contre les autres, le lundi est arrivé, et alors là, cette journée, je peux dire qu'elle compte parmi les pires de ma vie. Pire que celle où on m'a volé le vélo de course rouge tout neuf que papa m'avait rapporté sur le toit de la Panhard. Pire que celles des courgettes de l'école primaire. Pire que celle où j'avais vu une plante complètement fanée et où papa m'avait expliqué que pour les hommes c'était pareil, au bout d'un moment il n'y a plus rien à faire pour eux.

Je suis parti tôt de la maison et j'ai attendu Haïçam dans la loge. Un jour son père s'était confié à moi et m'avait dit qu'il n'arrivait pas à savoir quand son fils dormait ; parfois il faisait une expérience : il mettait dans le lit des bogues de marrons ou bien de châtaignes, et il lui arrivait de les retrouver à la même place plusieurs matins d'affilée. Il pensait que c'était une grande chance d'être insomniaque, et que grâce à ça son fils deviendrait peut-être quelqu'un de grand. Il utilisait le terme « majestueux » pour parler des qualités de son fils. « C'était une victoire majestueuse », disait-il en parlant d'une partie d'échecs qui avait conclu la victoire d'Haïçam au tournoi régional. Ce matin-là, il était en train d'essuyer les portraits des dix-huit sultans qui s'étaient succédé sur le trône de la Sublime Porte jusqu'au XVIIIe siècle. Ensuite, petit à petit, m'avait-il expliqué, l'Europe avait dépecé l'Empire, exactement comme des chasseurs se partagent les morceaux d'une bête à bout de souffle avant de l'achever. Et maintenant il ne restait plus que les bas morceaux. Quand Haïçam est arrivé, je me suis dit qu'il avait encore grossi et que ce devait être son handicap à lui. Il a posé sur la table le gros livre que son père lui avait offert sur la révolution hypermoderne aux échecs. Je me suis dit que ce gros livre, c'était comme le dictionnaire de papa pour moi. Il m'a tendu une coupe remplie de loukoums. Je l'ai regardé un long moment mâcher lentement, perdu dans ses pensées, quelque part entre la défense nimzo-indienne et l'attaque baïonnette... Je me demandais comment je pouvais lui rendre compte de la situation. C'était compliqué. Son père nous a servi une sorte de café très épais dans des tasses aussi petites que des dés à coudre et, en y trempant mes lèvres pour la première fois, j'ai eu l'impression d'avaler du caoutchouc fondu. Mais je me sentais ultra honoré. Haïçam sirotait cet étrange breuvage sans quitter des yeux l'échiquier qui tenait le milieu de la minuscule loge, comme un centre de gravité.

— Tu as une drôle de tête, m'a-t-il dit sans prévenir.

J'ai eu alors l'impression qu'il avait tout deviné, que décidément rien ne pouvait lui être caché, que c'était grâce à l'intuition qui devait s'être développée avec les échecs. À ce moment-là, son père lui a donné un sac contenant des provisions pour le repas de midi.

— Tiens, j'ai dit, tu ne manges pas à la cantine à midi ?

— Non, parce qu'il y a des côtes de porc, a répondu mon respectable Égyptien.

— Mais tu as mangé du saucisson la semaine dernière.

— Moi, je suis comme ça. Je mange kasher et pas kasher.

— Parce que tu es juif et pas juif en même temps, c'est ça ? j'ai demandé.

— Exactement. Tu as tout compris. Il ne te manque plus que de savoir jouer aux échecs et tu deviendras tout à fait fréquentable.

J'ai souri. Je me suis dit qu'il y avait du plaisir à se sentir inférieur aux gens qu'on aime et qu'on estime beaucoup. À ce moment-là, il y a eu un mouvement de foule dans la cour, on a entendu un grand murmure. J'ai laissé Haïçam, car j'avais un mauvais pressentiment, et je me suis dirigé vers le tableau où les élèves peuvent afficher des annonces et devant lequel une masse d'élèves s'était groupée. Alors là, j'ai bien cru que la terre allait me bouffer, et d'ailleurs j'aurais préféré disparaître comme ça d'un coup, salut la compagnie, débrouillez-vous sans moi ! J'ai vu les photos de la soupe de langues de l'autre soir, affichées, agrandies, comme immenses, démesurées. C'était Van Gogh qui avait rameuté tout le monde. Heureusement, j'étais encore dissimulé dans la foule et on ne m'avait pas remarqué. Je me cachais un peu dans le col de ma veste en attendant de voir comment les choses allaient tourner. Je cherchais Marie des yeux. Il fallait que je la trouve avant que quelqu'un de bien intentionné la mette au courant. J'ai senti comme une onde derrière moi, et c'était Haïçam, alors je me suis dit que tout n'était peut-être pas perdu.

— Ça va barder ! lui ai-je dit du fond de ma veste qui me remontait aux oreilles.

Il a posé sa grosse patte sur mon épaule, à sa manière.

— Ça fait du bien de temps en temps d'avoir honte.

Plus tard, ça a donné ça :

Honte : *Déshonneur humiliant. Voir Abjection, Bassesse, Indignité, Opprobre.*

Au nombre de synonymes, je me suis dit qu'il devait s'agir d'un sentiment fréquemment éprouvé.

— Peut-être que ça me fera du bien un jour, mais pour le moment je suis mat pour de bon.

Il a souri. J'ai eu l'impression qu'il avait encore un loukoum dans la bouche.

— Pas encore. La défense nimzo-indienne est une défense d'une richesse exceptionnelle. On l'utilise quand l'adversaire tente d'imposer sa stratégie. Cette défense consiste à démontrer à cet adversaire, avec une rigueur absolue, que notre compréhension de notre position complexe est supérieure aux pièges tendus.

Des profondeurs de ma veste comme des profondeurs de la caverne de Platon je me suis demandé s'il n'était pas en train de devenir fou, avec sa manie obscure du langage. Beaucoup plus tard, mais vraiment bien plus tard, quand il est devenu un grand champion d'échecs, j'ai souvent trouvé qu'il avait le même air de folie quand on le voyait jouer à la télévision avec mille coups d'avance sur tout le monde. Je lui ai demandé :

— Qu'est-ce que tu veux dire par là ?

— Je me comprends. Et toi aussi. La différence, c'est que tu ne le sais pas encore.

Sa grosse tête, soufflée comme un grain de pop-corn, se fendait d'un large sourire qui inspirait confiance.

Je n'ai pas eu le temps de réfléchir à tout ça, parce que, soudain, j'ai vu dépasser la touffe de cheveux de Marie. Heureusement qu'elle n'y voit rien ! ai-je pensé. Elle avait ses yeux vides fixés sur le tableau bien plein. Tout autour, on riait et commentait. Par chance, la cloche a sonné et tout le monde s'est dirigé vers les classes. Je me suis laissé noyer par la foule en me faisant le plus discret possible. J'ai suivi Marie des yeux. Elle comptait les pas pour parvenir jusqu'à l'escalier, elle était très concentrée. De mon côté, j'ai compté sur mes doigts. Plus que cinq semaines à tenir. Je me suis aperçu qu'elle était désorientée à cause de la bousculade et du monde qui la faisait tourner sur elle-même comme une toupie. Je me suis précipité vers elle en me disant que j'étais peut-être bon pour une tarte en public.

— Attention, ai-je chuchoté, l'escalier, c'est dans l'autre sens !

— Tu as une drôle de voix. Qu'est-ce qui se passe ?

— Rien. J'ai mal à la gorge, alors je me suis emmitouflé dans ma veste comme une momie.

— Tu as travaillé la géométrie ?

— Oui. J'ai la figure en deux exemplaires. Je garde celui avec une faute. Tiens.

Dans l'escalier, elle m'a demandé :

— Qu'est-ce que c'est, cette histoire de photos accrochées au tableau ? Je n'ai pas bien compris. Tout le monde rit autour de moi, j'aimerais bien m'amuser moi aussi !

Alors là, j'ai vraiment dit n'importe quoi :

— Oh ! des bêtises… C'est Van Gogh qui a pris le prof de SVT en train d'embrasser la prof de musique dans le laboratoire…

— Tiens, c'est bizarre, je ne les imaginais pas ensemble.

À ce moment-là, on m'a reconnu dans le couloir, mais comme « on » tenait à ses oreilles, mes ennemis se limitaient à des commentaires à voix basse, et les autres me lorgnaient d'un air respectueux, à cause des poings qui roulent vite. Pour l'instant la honte ne me faisait vraiment pas de bien. La prof de math nous a ouvert la porte en me regardant d'un air ironique.

Elle avait des nouveaux trucs dans les cheveux, ça changeait tout, mieux qu'un lifting. Je lui ai souri vaguement.

À la fin du cours, j'ai traîné un peu, parce que c'était encore là que j'étais le plus en sécurité. La prof a rangé ses affaires et, comme je n'étais toujours pas prêt, elle s'est mise à effacer le tableau.

— Quelque chose ne va pas, Victor ?

— Non, non, tout va bien. On me photographie pour ensuite me traîner dans la boue devant des centaines de personnes, mais sinon tout va bien. Enfin, il paraît que ça fait du bien d'avoir honte de temps en temps…

— J'ai vu les photos. C'est une très belle fille. C'est plutôt flatteur dans le fond.

J'ai haussé les épaules. Évidemment je n'allais pas me lancer dans tous les détails, rapport à Marie.

— C'est peut-être une belle fille, mais ce n'est pas mon genre, voilà tout. C'était seulement un sale coup des hormones.

Elle a souri.

— Au fait, puisqu'on en est aux confidences… j'ai remarqué que vous ne portiez plus que rarement votre bébé dans la jambe droite…

— Oui, Victor, c'est qu'il est retourné dans le cœur.

— C'est une bonne nouvelle.

Ensuite on n'a plus trop osé se parler, pour pas trop déranger la pudeur de l'intimité. La journée s'est étirée comme un vieux serpent tout élastique. J'ai évité Marie, parce que j'avais peur qu'elle cherche encore à savoir pour les photos. Pendant la récréation de l'après-midi, j'ai aperçu Étienne devant le bureau de Lucky Luke. Il attendait et je me suis dit que c'était mauvais signe. Je l'ai questionné et il m'a dit qu'il avait de gros problèmes : il était entré dans sa classe, où les élèves étaient déjà installés. Comme la prof n'était pas encore là, il avait cru bon hurler : « Alors, il y a du sexe là-dedans ? » Manque de chance : la prof était dans la petite remise ouverte sur la salle, et remanque de chance : elle était avec la principale. Total : un bon savon.

— Ensuite la principale m'a demandé quel métier je voulais faire plus tard, a précisé Étienne, alors moi, j'ai dit proctologue évidemment. Elle m'a demandé en quoi ça consistait, alors moi, j'ai dit que ça consistait à soigner les trous du cul. Total : direction le bureau de Lucky Luke.

— Tu t'en attires, des ennuis, avec ta vocation.

— Je vois vraiment pas ce qu'ils ont tous contre cette spécialité. Pourtant c'est pas plus dégoûtant que dentiste, et même peut-être moins. C'est à l'autre bout, c'est tout.

La fin de la journée est arrivée. À force d'éviter Marie, j'ai fini par me demander si ce n'était pas elle qui m'évitait. J'ai vu Haïçam qui entamait une partie d'échecs avec son père dans leur bocal. Je lui ai fait un signe de la main, il m'a répondu d'un geste de la tête, très discret mais fort comme un encouragement. Je me suis dit qu'un jour il finirait par se taire complètement, mais que ça ne serait pas grave, parce que certaines personnes n'ont pas besoin de la parole pour communiquer. Ni d'autres de leurs yeux pour voir.

J'ai pris tranquillement le chemin de la maison. Bizarrement, je ne ressentais plus aucune haine envers Van Gogh. J'ai repensé à ce que m'avait dit Haïçam : « La défense nimzo-indienne consiste en une compréhension absolue de la situation plus forte que l'attaque de l'adversaire. » C'était à peu près ça. J'ai encore tâché de me creuser la cervelle pour saisir le sens de tout ça, mais mon cerveau fonctionnait trop lentement. Un jour mon respectable Égyptien m'avait dit :

— Je ne suis pas plus intelligent que toi, la seule différence, c'est que mon cerveau fonctionne beaucoup plus vite.

Je trouvais que c'était une grosse différence tout de même. C'est comme si Bernard Hinault avait dit à ses adversaires après sa cinquième victoire sur le Tour de France : « Je ne suis pas meilleur cycliste que vous, c'est seulement que je pédale plus vite. » J'en étais là de ces réflexions quand les choses se sont gâtées, juste devant l'église, sur la place des boulistes et de la fête foraine.

Car elle était là. Et avec un drôle d'air. C'était exactement l'idée que je me faisais de Zeus quand il était en colère contre ses collègues. Manquaient plus que les éclairs et le tonnerre. Si je n'avais pas eu un reste de dignité, j'aurais foncé comme une torpille vers l'église et j'aurais prié comme j'aurais pu, à genoux, à plat ventre ou sur la tête ; j'aurais demandé pardon à tout le monde, même à Zeus, car on ne sait jamais. Je me suis dit qu'elle avait dû me reconnaître à mon pas. Elle s'est mise à parler avec une voix très douce, encore plus douce que d'habitude, et c'était encore pire, j'aurais préféré qu'elle se mette à hurler.

— J'ai appris, pour les photos.

J'ai essayé de parler, mais aucun son ne sortait et je devais ressembler à un poisson, les nageoires en moins.

— Tu aurais pu m'informer. Parce que évidemment je ne voyais rien du tout, tu sais.

Toujours impossible de parler. J'ai repensé aux vieux films que je voyais avec papa à la télévision et dans lesquels le type démasqué prenait toujours la même tarte sur le nez.

— Je me suis trouvée un peu ridicule quand on m'a dit avec qui tu étais sur les photos. Ce n'est pas tellement vis-à-vis des autres, je m'en moque un peu, mais, quand même, ça fait mal aux sentiments.

— Les sentiments ? j'ai demandé avec un temps de retard, comme si nous étions en décalage horaire.

— Oui, pour les sentiments… tu sais bien…

— Oui, je sais. Sentiment : *Capacité de sentir, d'apprécier. État affectif complexe assez stable et durable lié à des représentations. Voir Émotion, Passion.* Je suis tombé dessus hier dans le dictionnaire.

Quelle idée de mêler le dictionnaire à tout ça ! Des fois ça marche, le détournement de la conversation... J'ai eu envie de lui faire part de ma théorie selon laquelle les définitions, ça permet de rendre les choses moins effrayantes... Elle restait là, plantée devant moi, les bras le long du corps... Par exemple, si vous regardez à « cancer », dans le dictionnaire, eh bien, vous apprenez que c'est un mot latin qui signifie « crabe », et vous prenez la chose moins au sérieux... Elle fronçait les sourcils à présent... Moi, ce que je dis, c'est que les dictionnaires ont été inventés pour rendre la vie moins dramatique et je n'ai pas été très étonné quand j'ai appris que ceux qui font le dictionnaire s'appellent les Immortels... Soudain, elle s'est comme figée et je me suis dit que j'étais bon pour une crise de tétanie, mais au lieu de ça ce sont des larmes qui sont sorties de ses yeux ; et c'était curieux, parce que à voir ces larmes qui coulaient, je me demandais si ça rendait ses yeux plus vivants ou encore plus morts. J'ai trouvé dans ma poche un mouchoir à peu près propre. Elle s'est mouchée dedans, ça lui a fait un nez tout rouge. Moi aussi, j'avais le cœur tout rouge, aussi ratatiné qu'une vieille serpillière, je n'osais plus faire un geste.

— Tu veux t'asseoir ? j'ai demandé avec du coton sur la langue.

— M'asseoir ?

— Oui, sur notre banc.

D'un seul coup elle s'est de nouveau raidie. J'ai vu la gifle arriver. Mais c'était trop facile, j'ai fait un pas de côté et évidemment elle m'a raté. Elle a tournoyé sur elle-même comme une toupie et elle a perdu l'équilibre. Elle s'est retrouvée par terre. Ses genoux écorchés dans la poussière saignaient un peu. Décidément, cette fois-ci, ma conviction était faite : j'étais un minable. Un vrai de vrai. Même pas fichu de me laisser gifler, alors que c'était la moindre des choses. Et elle, elle avait virevolté dans les airs et s'était écrasée dans la poussière, devant les boulistes qui la regardaient. Elle avait du mal à se relever, comme un poulain qui vient juste de naître et qui peine à se mettre sur ses pattes. Je lui ai quand même tendu une main, mais j'ai réalisé qu'elle ne pouvait pas la voir. Elle a dit tout doucement :

— Va-t'en. Va-t'en, s'il te plaît. Je ne veux plus te voir.

Je m'en suis voulu pendant des jours et des jours, de cette claque dans le vide. Pour rentrer à la maison, j'ai battu le record du cent mètres. J'avais le cœur en marmelade, à cause de la culpabilité. Je suis arrivé et papa était en train de répondre à des clients qui avaient fait paraître une annonce dans *L'Intermédiaire*. Une mouche noire s'était posée sur le sommet de son crâne.

— Tu fais une drôle de tête. Il y a eu un tremble-
ment de terre ? Un raz de marée ? La peste ? L'armée
Rouge est aux portes de Paris ?

J'ai haussé les épaules. Si c'était que ça, j'ai pensé.
Trop long à expliquer. Et puis Marie m'avait fait pro-
mettre de ne rien dire à personne, même pas au respectable Égyptien, même pas à papa. Je me suis dit
que ce n'était pas le moment de la trahir à nouveau.
La nuit, ça a été un défilé de chars d'assaut dans ma
tête, avec les sous-marins atomiques qui suivaient et
les cuirassés derrière.

Le lendemain, en me levant, j'ai regardé dans
la cour, la Panhard était partie, ça faisait comme
un grand vide, un rectangle tout sec sur les pavés
mouillés, et je me suis dit que quand papa ne serait
plus là ça ferait un grand vide pareil, un trou carré
bien rectiligne et sans bavures. En buvant mon chocolat j'ai pensé à Marie, qui devait beaucoup m'en
vouloir et sûrement ne plus penser à moi comme
avant. En somme, j'avais perdu un motif de fierté, et
dans une vie on n'en a pas beaucoup. Ce que j'aimais,
avec Marie, c'était l'impression d'être indispensable.
Maintenant je me sentais comme un brin de paille
balayé par le vent.

Avant de partir au collège, je me suis rabattu sur
la protection de la nature et l'assistance aux oiseaux
en difficulté et ça a été quand même une consolation, car j'ai bien vu que mon merle avait les ailes
toutes brillantes, comme vernies ; je l'ai pris au

creux de la main, ses petites pattes faisaient des sortes de gri-gri gentils, et je me suis dit qu'un jour il partirait, que dans la vie il y a surtout des séparations en cascade.

Deux nouvelles semaines se sont passées comme ça, à traîner la patte et le cœur. Le printemps, comme une fleur, avait éclaté majestueusement, mais moi, le bourgeon de mon cœur se renfrognait, comme grillé par une gelée tardive. D'un seul coup j'ai arrêté mes efforts scolaires, parce que je ne les faisais plus pour personne ; alors évidemment, c'était beaucoup moins intéressant. Il faut bien un motif pour travailler, et moi, mon motif, il faisait tout pour m'éviter. Je la suivais des yeux, elle comptait ses pas dans le collège, j'étais le seul à m'en rendre compte, et je me demandais comment les autres faisaient pour ne pas s'en apercevoir. Deux ou trois fois j'ai essayé de l'approcher, mais c'était comme si elle me repérait, à cause des ondes négatives. Ce qui m'a le plus surpris, c'est la façon légère et naturelle avec laquelle elle s'est installée à une autre table. Vraiment, Marie, c'était une espèce de surdouée dans sa catégorie nocturne. À la télévision, j'avais vu des chanteurs aveugles qui faisaient de drôles de grimaces, tout à fait comme s'ils chantaient avec leurs yeux ; ils étaient tellement aveugles qu'on finissait par oublier complètement qu'ils chantaient. C'est pour ça qu'à mon idée ces artistes particuliers frappés du handicap sont beaucoup moins intéressants à la radio. Marie, c'était exactement l'inverse. Parfois elle venait en cours avec son violoncelle, parce que ensuite elle devait se rendre directement au conservatoire. Je l'avais entendue raconter qu'elle avait demandé à son professeur de doubler ses heures en vue du concours. Ces jours où elle arrivait chargée de son gros instrument, eh bien, je peux dire que je l'ai admirée très fort.

J'ai souvent repensé, pendant ces deux semaines d'exil, aux moments où je l'écoutais jouer du violoncelle, et au sentiment bizarre que j'avais de n'être à la fois rien et tout en même temps. Être seul dans le secret de quelqu'un qu'on admire, on dira ce qu'on voudra, mais il n'y a rien de plus beau. Papa trouvait que j'avais une petite mine ; il se doutait bien, je crois, de ma situation d'exil, mais n'osait pas m'interroger, à cause de la pudeur des sentiments entre père et fils. Certains soirs je prenais place à bord de la Panhard et, incertains... Corbeil... Ris-Orangis... Athis-Mons... Thiais... nous flottions ensemble jusqu'à la ville qui nous engloutissait. Chaque fois je me demandais si nous finirions par en ressortir... Je me souviens de boulevards très larges que nous étions seuls à emprunter... comme si la ville avait été désertée... après un bombardement... La Petite Ceinture... La poterne des Peupliers... et moi, sur le pare-brise, je voyais se refléter la carte de la ville affichée dans le bureau de papa. Je me demandais aussi comment papa avait pu connaître tous ces gens bizarres qui voulaient nous retenir pour nous raconter une partie lointaine de leur vie... Je finissais par m'endormir dans la Panhard et je trouvais que c'était comme un miracle de se réveiller devant notre maison toute de traviole. Je retrouvais mon petit merle qui grossissait, remplissait de plus en plus sa boîte et trottinait dans la cour en jetant partout les deux billes de ses yeux. Je me demandais s'il était sorti d'affaire. Au collège, j'étais loin d'être sorti des miennes. J'ai tout de même essayé de faire rire Marie en renouant avec l'esprit qui avait fait ma légende dans le passé... Par exemple, un jour quelqu'un avait demandé si le mot « minijupe » était attaché ou non, alors moi, j'avais dit :

— Oui, avec un bouton !

Mais le cœur n'y était plus et on avait perdu l'habitude : ça ne faisait plus rire personne, surtout pas Marie.

Un jour que j'étais dans les couloirs à la recherche du cahier d'appel pour la prof de math, j'ai croisé Lucky Luke. Il portait un gros livre sous le bras. Il s'est approché de moi.

— Ne le dis à personne... Je vais me cacher dans le gymnase pour lire un peu... Si on me cherche, tu ne m'as pas vu... Je te revaudrai ça...

— Qu'est-ce que c'est, votre livre ?

— *Don Quichotte*... Tu comprends, j'ai terminé *Les Trois Mousquetaires*... Ça doit être un peu le même genre, *Don Quichotte*. Tu connais, toi ?

— Je sais qu'il y a des moulins, mais je n'en sais pas plus.

— Des moulins ? Tu es sûr ? Je croyais qu'il y était question de batailles et de chevaux... Et de chevaliers.

Il avait l'air déçu.

— En tout cas c'est un livre très célèbre, puisque même moi, je savais qu'il existait... Et le vélo, vous en faites toujours ?

— Je suis arrivé troisième dimanche dernier. Parce que j'ai lu trop tard la veille. Après ma lecture, j'étais rincé comme un vieux chiffon. C'est fou ce que ça fatigue, un gros livre ! Comme si j'avais grimpé le Ventoux... C'est du boulot, la littérature.

— Je viendrai peut-être vous voir courir dimanche prochain... Je m'ennuie en ce moment. Faut que je m'occupe. Je pourrais vendre des merguez pour les spectateurs.

— Qu'est-ce qui t'arrive ?

— Je ne veux pas vous insulter, mais vous ne pourriez pas comprendre...

— Tu crois ?

— Certain. Il vous manque des données.

— C'est à cause des photos de l'autre jour ?

— C'est pas tellement les photos, c'est surtout les conséquences. Je dois bien dire qu'il m'a roulé, Van Gogh. Mat, sur ce coup. Enfin, je verrai ce que je peux faire avec la défense nimzo-indienne.

J'ai attendu l'effet produit par ma déclaration. Lucky Luke a eu l'air de réfléchir.

— La défense quoi ? C'est du karaté ?

— Mais non. C'est un terme d'échecs. Se défendre à la nimzo-indienne, eh bien, ça consiste à montrer à l'adversaire que notre compréhension de la situation où il nous a mis est supérieure aux dangers représentés par cette situation.

J'espérais qu'il ne poserait pas plus de questions, car j'aurais calé. J'avais dit tout ce que je savais sur le sujet, et je ne voyais pas encore tout à fait ce que ça pouvait signifier ; mais parfois, quand même, la brume se déchirait et je commençais à me dire qu'un jour, peut-être, je comprendrais et qu'il fallait faire confiance à mon respectable Égyptien.

— En tout cas je te laisse avec ta défense chinoise, a dit Lucky Luke.

— Indienne, monsieur, indienne…

— Si tu veux.

À la fin de cette journée, je suis allé voir Haïçam dans la loge. Il avait manqué tous les cours de l'après-midi, car il avait une partie de Moscou 1963 à terminer avec son père, et personne ne lui en voulait, car de toute façon il avait déjà tout compris. Je suis arrivé au milieu de la troisième partie.

— Tu tombes bien, m'a dit le respectable Égyptien, sans lever le nez. Regarde un peu : Botvinnik propose l'échange des dames au treizième coup. C'est pas une œuvre d'art, ça ?

— Magnifique, j'ai dit pour éviter de le contrarier.

Je les ai regardés jouer comme ça. Haïçam me passait de temps en temps le bol de loukoums. Et puis je suis parti rejoindre papa à la maison, le cœur aussi mou et fondant qu'un loukoum.

10

Le lendemain de ce jour-là, quand je suis arrivé au collège, je me suis aperçu que tout avait changé dans la cour de récréation. Il y avait des policiers municipaux qui disposaient des cônes rouge et blanc de façon à délimiter des sortes d'avenues. D'autres installaient des feux rouges et faisaient des essais. Au fond, un type sortait d'un camion de la Prévention routière des vélos et des karts et les disposait en rang d'oignons. Des yeux, j'ai cherché Marie au milieu de la foule des élèves, mais je ne l'ai pas trouvée. Et là, oui, ça a été tout de suite la compréhension du danger qu'il y avait pour elle. Je comprenais que Marie allait se perdre dans le labyrinthe compliqué dessiné par les policiers dans la cour et qu'elle allait se faire serrer à cause de la Prévention routière. Et c'est justement parce que je l'avais compris et que je pouvais réagir que les dangers avaient une chance d'être déjoués. L'espoir renaissait au cœur de l'angoisse... Merci, Haïçam, j'ai pensé, merci à Nimzo machin ! La cloche a sonné et il a fallu se ranger.

C'était le cours d'histoire. Heureusement, j'étais installé près de la fenêtre, un filet d'air printanier me caressait le visage pendant que les autres plongeaient dans le puits des siècles ; et de ce poste je pouvais jeter un œil dans la cour. Le temps a passé ; Marie n'arrivait toujours pas et je ne savais pas si c'était inquiétant ou rassurant. Je l'imaginais déboulant au beau milieu des karts, des vélos et des panneaux comme dans une petite ville hostile. Elle n'allait plus du tout s'y reconnaître et ça serait vraiment l'humiliation, et même l'opprobre pour elle, et la fin de tous nos espoirs. J'ai complètement lâché ce qui se disait en cours. Il était, je crois, question d'une époque où les rois et les princes passaient la moitié de leur temps à essayer de s'assassiner, l'autre moitié à essayer de s'échapper, et encore une autre moitié à essayer d'avoir un fils ou à gagner une guerre. Un vrai jeu d'andouilles en vérité, qui ne rend pas du tout optimiste sur les efforts des hommes. Mais ça, c'étaient des considérations personnelles qui n'auraient pas intéressé le prof, un homme bien sérieux qui avait un petit appareil acoustique dans l'oreille droite, et on avait l'impression qu'il était en communication permanente avec Louis XIV. Je l'avais appelé Beethoven, rapport aux oreilles bouchées.

J'en étais là quand j'ai entendu grincer le portail d'entrée et, j'en étais sûr, c'était Marie, qui de nouveau arrivait en retard. Sûrement, elle devait mettre plus de temps pour arriver au collège, à compter tous ses pas comme elle m'avait expliqué. Peut-être même qu'il lui arrivait de se perdre, sans son fil d'Ariane, et alors je l'imaginais seule dans les rues désertes, à essayer de retrouver son chemin d'aveugle en tâtonnant partout. À cette idée mon cœur devenait comme une pomme séchée, tout ridé avec plus rien à l'intérieur. Je l'ai suivie du regard. Elle s'engageait dans la cour, sa démarche mécanique d'automate était hésitante, car elle devait sentir que tout était chamboulé. 1, 2, 3, à droite ; 1, 2, à gauche. Elle se cognait dans un plot, s'immobilisait quelques secondes comme un robot qui recalcule sa trajectoire et repartait de plus belle en sens inverse, pour aussitôt s'emmêler les pinceaux dans un kart. Au fond de la cour, un policier la regardait d'un air soupçonneux. Sans me vanter, j'avais anticipé la catastrophe. Remarquez, les catastrophes, c'est pas dur à prévoir, c'est quand même bien rare s'il y en a pas une en préparation. Ça aussi, c'est l'histoire qui me l'a montré. Marie s'est retrouvée toute perdue entre un faux feu rouge et un faux sens interdit, c'était que du faux autour d'elle. Elle tournait en rond sur elle-même, elle devait compter et recompter, rien n'y faisait, on aurait dit une boule de flipper qui se cognait partout. Le pire, c'était que les autres de la classe, et sûrement de toutes les classes qui donnaient sur la cour, commençaient à s'amuser de ce spectacle, genre jeux du cirque, avec la bave aux lèvres. On se donnait des coups de coude pour la convivialité. Je me suis dit que là, c'était foutu, ça sautait aux yeux qu'elle n'y voyait rien du tout. Alors ça a été comme un ressort, je me suis levé tout d'un coup. Sans m'en rendre compte je me suis retrouvé debout, tout raide, à dire au prof :

— Je dois sortir, j'ai la colique.

— La colique ?

— Oui. La chiasse, si vous préférez. Ça ne vous arrive jamais ?

La phrase a mis un peu de temps pour lui arriver au cerveau, moitié à cause de l'appareil acoustique, moitié à cause de la surprise. Et puis ça a été comme des vapeurs qui lui ont obscurci le regard.

— Vous demandez des précisions, alors je précise !

J'ai eu l'impression qu'il attendait les instructions de Louis XIV, là, dans son appareil. Finalement, je suis sorti.

J'ai retrouvé Marie dans la cour, j'ai bien vu que plein de visages collés aux fenêtres étaient tournés vers nous. C'était un chambard invraisemblable dans les classes, avec les profs inquiets pour le respect qu'on leur devait. Ça m'a donné l'impression d'être dans une arène, avec tout un public qui souhaitait notre mort. C'est ça, quand on a des références historiques.

J'ai suivi les routes tracées par les gars de la Prévention routière et j'ai rejoint Marie tout au fond d'un cul-de-sac. Elle a dû me sentir, elle a dit :

— C'est toi, Victor ?

— Oui, c'est moi, ton fil d'Ariane espace.

Elle a eu l'air soulagé, alors je me suis dit que tout n'était peut-être pas perdu entre elle et moi. Je lui ai demandé, comme si c'était le moment :

— Tu m'en veux encore ?

Elle est devenue toute rouge, mais je ne savais si c'était de colère ou d'amour. Ou des deux.

— Oui, je t'en veux encore. Mais en même temps je sais que je n'aimerai jamais personne comme toi. Quand même, si j'y voyais clair, je te giflerais et ça me ferait du bien au cœur.

— Attends, je m'approche.

Je ne voulais pas qu'elle me rate comme la première fois. Je me suis mis bien en face.

— Vas-y.

Au moment où j'ai reçu le coup, évidemment, tout le monde a applaudi depuis les fenêtres, avec des sifflets et des hurlements et les professeurs furibards, derrière, qui tentaient d'éteindre le feu. Le policier, toujours au fond de la cour, se demandait où il était tombé. Des étoiles multicolores me tournaient autour des yeux, et j'avais des frelons plein les oreilles. Elle n'y avait pas été de main morte. Je ne savais pas que ça pouvait faire autant de bien, d'avoir mal.

— Bon, maintenant suis-moi. Tu entends mes pas ?

C'était l'apaisement qui suit les grandes violences.

— Je te suis.

— Tu tiens bien le fil ?

— Oui. Et je ne le lâche plus.

On a traversé la cour comme ça, sous le regard de tous les élèves maintenant penchés aux fenêtres avec un air bizarre entre la déception, la moquerie et l'admiration. Je me suis demandé ce qu'ils voulaient de plus comme divertissement. La cloche marquant le début de la récréation a sonné. Je me suis dit que sûrement ça allait chauffer avec la direction. J'ai pensé à Lucky Luke. J'ai dit à Marie :

— Donne-moi vite le titre d'un livre très connu de la littérature qu'on peut trouver au CDI.

— Pourquoi ? Tu veux aller lire pendant la récré ? Tu veux pas qu'on reste un peu ensemble ?

— Mais non, je t'expliquerai plus tard. C'est très important, sinon on va avoir des ennuis, on va être repérés, séparés, et ça sera l'exil.

— L'exil ? Mais quel exil ?

— Je me comprends, c'est une théorie de papa sur les choses de l'amour… Bon, le livre ? Pour quelqu'un qui découvre la littérature et qui veut rattraper le retard. Cherche pas à comprendre pour une fois.

— Très bien… Je te fais confiance. Attends voir… Qu'est-ce qu'il aime ?

— Le vélo surtout.

— Alors dans ce cas tu peux prendre un livre d'Antoine Blondin qui s'appelle *Sur le Tour de France*... S'il aime le vélo, il n'y a rien de mieux.

Je devais absolument me procurer ce livre avant qu'on me convoque pour expliquer ma conduite. « Scandaleuse et inqualifiable », on allait dire. À deux nous avions mis le feu au collège et ridiculisé la police, comme quoi il n'y a pas besoin d'être nombreux pour réaliser de grandes choses. C'était un vrai motif de renvoi. Au CDI, on venait juste de recevoir le livre de Blondin. Je me suis tout de suite inscrit sur le registre d'emprunt et ça m'a fait drôle d'y voir mon nom. En partant, j'ai feuilleté le livre. J'ai compris que c'était exactement ce qu'il fallait : on voyait le peloton qui sortait des pages, on entendait le public, les substances du dépassement de soi coulaient à flots... Et en même temps j'ai bien senti qu'il y avait comme un truc triste là-dedans, qui faisait battre le cœur et qui était la magie de l'écriture.

Ensuite j'ai entendu qu'on nous appelait, Marie et moi, par le haut-parleur. On s'est retrouvés tous les deux face à Lucky Luke dans le couloir devant son bureau. Il était mal rasé et on avait l'air de l'ennuyer. Il nous a dit qu'il devait nous conduire chez la principale, que ça ne l'enchantait pas mais qu'on s'était donnés en spectacle et que ça avait perturbé le déroulement de tous les cours.

— Attendez-moi ici, je reviens dans deux minutes. J'ai des papiers à mettre en ordre.

Il a disparu dans son mystérieux bureau, d'où on ne le voyait plus beaucoup sortir depuis quelque temps. Alors j'ai joué le tout pour le tout et j'ai laissé Marie pour suivre Lucky Luke. Il a sursauté quand il m'a vu entrer. Il paraissait tout petit dans un très large fauteuil. Derrière le bureau j'ai repéré une étagère neuve avec deux livres bien rangés, dans l'ordre alphabétique. Cervantès juste avant Dumas. Je me suis dit que Blondin serait encore avant.

— Qu'est-ce que tu viens faire là, Victor ?

— Je voulais vous parler de quelque chose, et comme on va aller se prendre un savon chez la directrice, eh bien, je crois que je vais avoir du mal à vous entretenir de la question si je ne le fais pas maintenant.

Sur les murs de la pièce on pouvait voir des posters de champions cyclistes en plein effort, pendant des sprints ou des montées. Ça suait comme des poulets sous le gril.

Je ne savais pas trop comment commencer, mais je n'avais pas beaucoup de temps, finalement je me suis lancé.

— Alors *Don Quichotte*, ça vous a plu ?

Il a dessiné des virages dans les airs.

— Pas tellement. J'ai été déçu.

— Pourquoi ?

— Ce n'est pas un livre… comment dire… un livre *sérieux* ; ça ne me plaît pas quand on se moque des personnages. Parce que en somme ce Don Quichotte, ce n'est qu'un sombre crétin complètement frappé.

Dans ce cas-là, moi, je ne m'attache pas. Tu as quelque chose d'autre à me conseiller ?

J'ai pris un air de cérémonie.

Il a saisi le livre que je lui tendais et il s'est mis à le renifler comme s'il avait l'intention de le bouffer.

— J'espère que c'est un peu tragique quand même.

— Ça, je ne sais pas. Vous verrez.

Le téléphone a sonné. Lucky Luke a répondu. J'ai compris que c'était la directrice.

— Bon, va falloir qu'on y aille. Remarque, faut pas te plaindre. Moi, quand j'étais en internat, si on avait fait une bêtise, on devait aller se mettre à genoux dans le bureau vide du directeur. Et on attendait comme ça un quart d'heure… une demi-heure… et puis une sonnerie retentissait, le directeur déboulait et nous envoyait une baffe, ou plusieurs selon le délit, sans jamais nous adresser un mot. Ensuite on devait encore attendre à genoux jusqu'à ce qu'une sonnerie nous avertisse qu'on pouvait lever le camp.

— C'était une époque pas très douce.

— Un jour je me suis sauvé en volant la bicyclette du concierge et j'ai fait trois cent cinquante kilomètres en trois jours. Depuis, impossible de m'en passer…

— Vous avez eu une drôle de jeunesse !

Comme j'avais pris un ton admiratif, il a paru flatté.

— Vous vous souvenez, hier, quand on s'est croisés dans les couloirs et vous partiez vous cacher au gymnase pour lire *Don Quichotte*. Oui ? Eh bien, vous m'avez dit que vous me revaudriez ça, un jour.

247

— Bon. Je vais voir ce que je peux faire. Quelle idée aussi de se donner en spectacle comme ça ! Ce n'est pas beau de se moquer des aveugles. Venant de toi, ça ne m'étonne que moyennement... mais ton amie, ce n'est pas le genre...

— C'est à cause d'un pari idiot. Mais c'est mon idée, et le mieux, si vous voulez mon avis, ce serait de me punir moi, seulement. Parce que si vous la punissez elle aussi, je suis sûr que ses parents vont l'envoyer en pension et que le collège va perdre sa meilleure élève.

— Tu crois que ses parents sont si sévères ?

— Mais oui, je les connais bien, le père est commissaire pour Prisunic, ça plaisante pas ! S'ils sont au courant, c'est le déménagement assuré, et alors envolé le génie.

On a suivi Lucky Luke, Marie et moi, et devant le bureau de la directrice, il nous a dit :

— Bon, laissez-moi entrer en premier.

Soudain, j'ai eu une illumination.

— Surtout dites-lui bien que j'ai une idée extra pour nous racheter.

— Quel genre ?

— Eh bien, je me disais qu'on pourrait organiser un concert de violoncelle pour le collège... quelque chose de très distingué, pour les connaisseurs.

— Mais tu ne joues pas de violoncelle, toi.

— Non, mais je tournerai les pages de la partition.

Lucky Luke a disparu dans le bureau de Mme Leconte.

— Ça ne va pas ? m'a dit Marie. Un concert de violoncelle… Quelle mouche t'a piqué ?

— Mais non, au contraire, c'est une très bonne idée. Tu n'as rien compris… parce que avec le cirque de tout à l'heure on ne va pas tarder à s'apercevoir que tu n'y vois rien du tout. Je suis même sûr que certains s'en doutent déjà. Tu crois que Van Gogh va laisser passer une occasion pareille de nous dégommer ? Alors un concert, ça clouera le bec à tout le monde, surtout si on a l'impression que tu lis la partition.

— C'est pas bête, en effet… Tu as peut-être raison… L'important, c'est de gagner du temps… On n'a plus que trois semaines à tenir.

Ses yeux brillaient comme deux petites bougies. Je me suis aperçu que les boutons de son chemisier étaient décalés et que c'était aussi avec des détails de ce tonneau-là qu'on risquait de se faire pincer.

Elle a soupiré :

— Il y a encore un problème.

— Quoi ?

— La Prévention routière. Il va falloir que je conduise. À vélo ou en kart, ça va être la cata.

Alors là, j'étais raclé, à court de solutions. Si elle demandait à aller à l'infirmerie, on risquait de l'examiner et de s'apercevoir de quelque chose. J'étais encore un amateur, comparé à Haïçam qui jouait avec au moins quinze coups d'avance sur ses adversaires. J'ai préféré ne rien dire. L'intelligence, j'ai remarqué, ça s'achète souvent à crédit, en fermant son bec et en baissant les yeux d'un air mystérieux.

Finalement, on s'en est tirés avec pour moi un couloir à balayer et pour Marie un concert gratuit pour l'ensemble des élèves et des parents. Chacun dans sa catégorie, quoi !

À la fin de la matinée, j'ai échoué chez Haïçam complètement sur les rotules. Je n'avais même pas la force d'aller jusqu'à la cantine. Les tracas moraux, ça épuise beaucoup plus que les efforts physiques, c'est mon avis. Je me sentais vidé. Il était accoudé à sa table, assis sur une minuscule chaise, et regardait l'échiquier comme s'il cherchait à l'hypnotiser et à lui faire cracher ses secrets. J'ai remarqué que son énorme ventre, emballé dans son éternelle chemise à carreaux, touchait le bord de la table.

— Qu'est-ce que tu fais ? je lui ai demandé.

— Rien.

— Comment ça, rien ?

— Rien de rien. C'est à cause du shabbat qui a commencé. On ne doit rien faire, alors je ne fais rien.

— Faudra quand même un jour m'expliquer pourquoi les Turcs à moitié égyptiens font shabbat. Et puis je croyais que ça ne commençait que le soir ?

— Je commence le shabbat quand je veux. Pour moi, ça commence le vendredi midi, parce que en tant que joueur d'échecs j'ai toujours un coup d'avance. Il n'y a rien à expliquer. Et puis ça ne gêne personne. Toi, par exemple, ça te gêne ?

— Moi, je m'en fous complètement. D'ailleurs la Turquie, je sais à peine où c'est, sur la carte je la confondais avec l'Inde.

— Et puis l'Europe et les Arabes n'avaient qu'à nous foutre la paix au XIXe siècle... Ils nous ont bouffés, alors maintenant on fait shabbat pour se venger ; pour enquiquiner l'Europe et les Arabes, si tu veux. À partir de vendredi midi, si on veut.

Je ne comprenais pas grand-chose à ce qu'il racontait, et à le voir fixer son échiquier je me suis demandé s'il était bien dans son assiette. Ses lèvres bougeaient de temps en temps, alors j'ai compris qu'il faisait une partie imaginaire. J'ai pris mon souffle et je lui ai dit :

— Haïçam, j'ai des problèmes.

Il n'a pas levé les yeux.

— Je sais.

— Je sais que tu sais. Tu ne dis jamais rien, mais tu sais tout avant les autres. Comme les crocodiles du Nil.

— Toujours plusieurs coups d'avance, comme aux échecs. Donc *elle* est aveugle.

Il a souri. Je me suis dit qu'il était vraiment en train de devenir énorme et que c'était comme si mon cher Égyptien se transformait petit à petit en personnage mythologique.

— Et il ne faut pas que ça se sache, sinon tout est foutu. Alors tu vois, avec la Prévention routière de cet après-midi, on est mal partis.

251

Haïçam a déplacé une pièce de son échiquier et a couché le roi du camp adverse. Il a soupiré en prenant un loukoum.

— Pourtant, d'après ce que j'ai vu ce matin, tu sembles avoir saisi les principes élémentaires de la défense nimzo-indienne... Mais maintenant tu es dans une situation bloquée. Regarde...

Il me désignait l'échiquier comme si je devais y trouver la solution.

— Et alors ?

Je commençais à paniquer.

— Et alors Nimzowitsch ne faisait pas que se défendre. Il attaquait aussi *en contrôlant le centre à distance* et *en imposant à son adversaire une situation de blocus*. Voilà tout. C'est quand même clair.

Le père d'Haïçam a surgi à ce moment-là et il a allumé un minuscule transistor. C'étaient des nouvelles pas très réjouissantes, on y parlait de bombes un peu partout, dans des cafés, des cinémas. Et des écoles. Tout le monde criait vengeance, même ceux qui avaient posé les bombes ; ça bardait un peu partout, et moi, j'avais l'air un peu couillon avec mes soucis. « Contrôle du centre à distance... » « Blocus... » Je me suis levé.

— Tu pars déjà ? a demandé le noble et respectable Égyptien. Tu tiens ton idée ?

— Je crois bien.

Il a levé sa grosse paluche en signe d'au revoir et il a dit très sérieusement :

— Tu es un prince, mon grand.

Et moi, ça m'a fait venir les larmes aux yeux. Il faut dire que, depuis quelque temps, j'avais la sensibilité à fleur de peau. J'étais comme une éponge, il suffisait d'appuyer pour que des larmes sortent.

Je n'avais plus beaucoup de temps. Il fallait absolument que je trouve Marcel. Lui seul pouvait me dire comment entrer en communication avec Étienne, qui s'était fait renvoyer une nouvelle fois. Il fallait absolument que je lui parle. J'ai sillonné la cour dans tous les sens en y traçant des Z infinis et j'ai fini par dénicher Marcel qui gardait un but de foot.

— Faut que je parle à Étienne.

Je devais avoir l'air d'un fou furieux.

— T'es bizarre. On dirait que tu es en train de devenir dingue. C'est le cirque de tout à l'heure qui te met dans cet état ?

— Comment est-ce que je peux le trouver, Étienne ?

— C'est pas compliqué. Il s'ennuie tellement à la maison qu'il vient traîner tous les jours devant la grille du collège. De toute façon il est ultra louche ces derniers temps, il a l'air malade. Faut que tu le guettes. Maintenant laisse-moi, parce que j'ai pas envie d'encaisser un but à cause de toi.

À ce moment-là j'ai vu Van Gogh qui arrivait balle au pied, comme un furieux ; j'ai décanillé sur la droite et j'ai bien remarqué qu'il faisait exprès de manquer la cage pour me dégommer. La balle est partie se perdre sur un toit, le match a dû s'arrêter et il s'est pris une engueulade de la part des autres joueurs. J'ai eu le temps de lui faire un bras d'honneur bien discret, seulement entre lui et moi, dans l'intimité, à la sympathie presque.

Je me suis mis à guetter à la grille comme un singe qui attend des cacahuètes. J'ai laissé passer le premier service de la cantine. J'avais faim et il me fallait bien de l'abnégation, qui était un mot que j'avais entendu prononcer par la principale dans son bureau ; je ne l'avais pas bien compris, mais il me paraissait quand même correspondre à ma situation. Ça fait un petit plaisir d'enrichir son vocabulaire, même dans l'à peu près, c'est comme un peu d'air qui arrive. J'ai attendu comme ça, un œil sur l'horloge de la cour et l'autre sur le chemin qu'Étienne devait emprunter.

J'avais presque perdu espoir, quand j'ai vu sa silhouette au loin. Je lui ai fait de grands signes, comme si j'étais échoué sur une île déserte. Aussitôt je lui ai sauté dessus.

— Étienne ! Étienne ! J'ai besoin de toi !

— Toi ?

C'est vrai qu'il avait l'air bizarre et préoccupé.

— Oui, moi. Écoute, on n'a pas beaucoup de temps. Je te revaudrai ça quand tu voudras, et comme tu voudras. Voilà : dans un quart d'heure, c'est la Prévention routière et on va tous devoir se trimbaler à vélo ou en kart. J'ai besoin, mais vraiment besoin, que ça ne se fasse pas.

— Qu'est-ce que j'y peux, moi ?

Il faisait son coquet et je sentais mon sang grimper à la tête.

— Tu vas aller jusqu'à la cabine téléphonique la plus proche. Tu vas expliquer, en dissimulant ta voix, qu'une bombe a été placée dans le collège. On en met partout, des bombes, aujourd'hui, c'est devenu une sorte de sport. Alors pourquoi pas dans un collège ? Il y a même des avions qui sont annulés à cause de ça. Normalement, on devrait tous nous évacuer. Aux échecs, ça s'appelle « contrôler le centre à distance » et « imposer une situation de blocus ». Ensuite il faut que tu te sauves en vitesse, que tu rentres chez toi ou que tu ailles dans un endroit où on peut te voir.

Il écoutait, les sourcils froncés. On sentait que ça turbinait à fond.

— Je peux pas rester à guetter pour prendre des photos ?

— Mais non enfin, réfléchis un peu… Quand tu seras proctologue, si tu ne réfléchis pas davantage, ça va être du joli !

— D'accord, je veux bien te rendre ce service. D'ailleurs c'est plutôt marrant comme idée. Mais quand même à une condition…

— Laquelle ? j'ai demandé en regardant les policiers qui surveillaient les véhicules. Vite, on n'a pas beaucoup de temps.

— Eh bien, tu vois la fille, là-bas, avec le nœud rose dans les cheveux.

En hésitant, j'ai risqué :

— Peau de crapaud ?

— Oui. Mais ne l'appelle pas comme ça, ça me vexe. Voilà : je veux que tu m'écrives une chanson d'amour pour elle. Quelque chose qui puisse faire ressortir ses qualités. Ses qualités morales ET physiques, s'il te plaît. Quelque chose de distingué.

Je me suis retenu de rire, parce qu'il avait l'air sérieux et aussi parce que je ne voulais pas retarder mon affaire.

— D'accord. Livraison après-demain.

— Demain ?

— Non, après-demain, parce que la fureur poétique, ça ne se commande pas.

Ensuite il est parti en courant, direction la cabine téléphonique.

D'abord c'est la principale, comme effarée, qui est sortie de son bureau. Les surveillants l'ont suivie, tandis que les sirènes se mettaient à hurler. Lucky Luke a tardé à les rejoindre. Il avait un air absent, comme si la situation ne le concernait pas. Le collège dégorgeait des élèves par toutes les issues, en flot continu. La principale, voyant que Lucky Luke ne réagissait toujours pas, s'est mise à hurler :

— Et alors, qu'est-ce que vous attendez ? Vous avez pas vu le bordel que c'est, vous attendez quoi pour vous remuer ? C'est vous l'autorité, ici.

L'autorité promenait des yeux perdus sur la cour comme si elle observait les choses de derrière une vitre très épaisse ; Lucky Luke nous a fait nous ranger, très mollement, avec le genre d'indifférence de celui qui est ailleurs.

— Qu'est-ce qui vous met dans cet état ? je lui ai demandé. Vous avez des problèmes personnels ?

— C'est le livre d'Antoine Blondin sur le Tour de France. T'aurais pas dû me donner une grenade pareille.

— Pourtant c'est un beau livre, j'ai dit en présumant.

— C'est pas une question de beauté… Je crois que la littérature, ça me rend maboul… J'étais caché derrière les tables de ping-pong, et d'un seul coup j'ai déboulé sur le terrain de basket et… tu sais ce que j'ai gueulé, tout seul, dans le gymnase ?

— Non.

— J'en étais à la page 13 et j'ai gueulé de toutes mes forces : « Anquetil, je t'aime ! » J'espère que personne ne m'a entendu. Du coup, je comprends mieux le pauvre Don Quichotte.

J'étais admiratif : le Don Quichotte du vélo, ça a de l'allure quand même, je me disais.

Il s'est un peu secoué.

— La littérature, ça vous rince totalement, personne ne peut se douter.

Il se grattait sa tête toute carrée hérissée d'un crin très serré.

Ensuite le bruit s'est répandu que le coup de téléphone avait été passé par un certain Dark Vador, avec une énorme respiration entre les menaces. J'ai vérifié, car c'était bien dans ses cordes, qu'Étienne n'était pas là à nous guetter dans sa grande cape noire et son masque ultra angoissant relié à une bouteille d'oxygène.

J'ai attendu Marie, et on s'est glissés dans le flot qui sortait lentement par la grande porte du collège.

— Tu crois que c'est un miracle ? elle a demandé.

— Bien sûr, j'ai répondu.

— Bien sûr, oui, un miracle.

Elle a fait un clin d'œil et j'en étais par terre.

11

On glissait vers l'été comme sur un toboggan. Les arbres s'étaient couverts de leurs feuilles et les visages des garçons de gros boutons. Moi, il m'en sortait un tous les jours ; j'ai voulu les compter, mais je me suis arrêté à soixante-douze. On aurait dit la surface de la Lune. Papa m'avait acheté une sorte de lotion blanchâtre qu'il m'appliquait tous les soirs ; total : ça commençait par me gratter, puis au bout de dix minutes j'avais le visage en feu. Mais papa soutenait qu'il fallait tenir bon au moins une demi-heure, alors pour me faire patienter il m'installait devant des émissions historiques programmées par la télévision ; ça le tracassait beaucoup, les événements historiques, et j'avais l'impression que dans son esprit mon acné prenait l'allure d'une révolution. Ensuite je pouvais aller me débarbouiller ; c'était comme si je m'étais bronzé au chalumeau. Mais papa trouvait ça mieux. Il me disait :

— Tu es beau comme un empereur. Maintenant tu peux aller te raser !

Je me serais passé du papier de verre sur le visage, ça aurait été pareil. L'avantage, avec cette période des hormones déchaînées, c'est qu'on est tous au même niveau ; les hormones, c'est très démocratique. Au collège personne n'a osé se moquer de moi. Même Peau de crapaud, on évitait de la vexer, car on lui ressemblait tous de plus en plus. Et puis ça ne l'avait pas empêchée de trouver un amoureux. J'étais le seul, avec Étienne et Marie, à savoir que je n'étais pas pour rien dans cette union. C'était la première fois que je dissimulais quelque chose à mon noble Égyptien et j'étais heureux de ce signe d'indépendance.

Pour la beauté intérieure, je n'avais pas eu trop de difficulté, il suffisait d'imaginer, mais pour la beauté physique, ça avait été plus compliqué.

J'avais présenté le résultat à papa, mais uniquement pour l'orthographe, car pour le goût et la distinction générale j'étais assez content de moi :

Pauvre ! je n'ignore pas que Peau de Crapaut on te nomme !

Et qu'on te prend souvent pour une pomme,

Alors que moi, vraiment, j'adhore ton grand nez !

Unique objet de mon amour, je devine ta bôtê cachée !

Dernièrement, j'admirais tes énergiques cuisses

Et leurs muscles saillants qui au pagner de basket te hissent,

Car dans les airs tu t'élèves malgré ton poids fantastique c

Ronde comme une toupie, et telle une fusée Mistique

Alors que moi, je contemple tes mâchoires qui s'agitent

Pour récupérer de tes efforts, à la cantine la nourriture tu ingurgites

lein d'amour et le coeur tribouillé, je t'observe amoureusement

Admirant ta moustache qui pousses obstinément.

An regard de toi puis-je espérer quand tu auras fini de te repaître ?

u seras ma reine nette, regarde-moi pour me faire naître !

Il a pâli, puis des rougeurs lui sont venues sur le haut du crâne. Franchement, il était impressionné ; la fierté paternelle l'envahissait.

— Tu as remarqué les lettres du début qui font un mot ? C'est distingué, non ?

— « Crapaud » ne prend qu'un *p*. Et un *d* à la fin.

Il s'est laissé tomber dans un fauteuil et m'a regardé très posément en se frottant le menton.

— Je l'ai écrit tout seul, j'ai précisé, un peu gêné.

— J'espère, a dit papa. À deux, ça aurait été du luxe.

— Sauf pour « unique objet de mon amour », que j'ai trouvé dans mon manuel de français.

— Prends une feuille. On va améliorer.

— Tu n'aimes pas ? Moi, je trouve que c'est du tonnerre !

— Si, j'aime, mais on va quand même améliorer. Des petits trucs. Tu crois que Mick Jagger, il les améliore jamais, ses textes ? Et le petit père Ronsard, tu crois qu'il nous ferait pleurer à distance s'il ne les avait pas repris et bichonnés, ses poèmes ?

Finalement, j'ai donné à Étienne la version retravaillée avec papa, mais vraiment je n'étais pas persuadé. Pour l'orthographe, je dis pas, mais pour le goût général, je préférais la première version. D'après Marie, je m'étais comporté comme Christian avec Cyrano, ce qui ne m'a pas dit grand-chose, mais ce n'est jamais négligeable d'être comparé à un héros de livre, à mon avis.

— Tu crois qu'il avait besoin d'un Bescherelle, ton Christian ? j'ai demandé.

Voilà ce que ça avait donné pour finir :

Depuis que tu es entrée dans ma vie,
Je me comporte en abruti
Car j'ai le dard d'amour dans le cœur
Et tous les jours je hurle de douleur
Quand j'observe ta petite menotte
En classe prendre plein de notes,
J'ai envie de la croquer, de la saisir,
Rien qu'à imaginer c'est du plaisir.
Je voudrais tant être ton stylo
Que tu manipules avec brio,
J'écrirai avec l'encre de tes yeux,
Car de toi je suis amoureux.
C'est comme ton petit museau
J'ai jamais rien vu d'aussi beau.
Tes joues potelées et tes mâchoires puissantes,
Tu peux pas savoir comme elles me tentent,
C'est possible que tu me refuses,
Car des fois j'ai l'air d'une buse,
Mais pas besoin d'être un petit génie
Pour avoir le cœur en forme de nid
Qui attend l'amour de sa vie.

263

C'était drôle de les voir, Étienne et Peau de crapaud, bras dessus, bras dessous, se donner la main, se faire des mines et je me disais que j'avais quand même réussi quelque chose. Au début j'avais pensé qu'Étienne s'était mis à fréquenter Peau de crapaud juste rapport aux hormones, parce qu'il avait une théorie.

— Tu comprends, m'avait-il expliqué, les filles les plus laides sont les meilleurs coups…

— Ah bon…

— Ben oui, c'est logique. Peau de crapaud est la fille la plus laide du collège. D'accord ?

— En tout cas une des plus laides. Après, il faudrait des spécialistes pour départager.

— Donc Peau de crapaud est un des meilleurs coups du collège, voire le meilleur.

On pouvait voir les choses comme ça. Marie m'avait expliqué qu'il s'agissait d'un syllogisme, mais que, paraît-il, il fallait se méfier de ces choses-là. Elle m'a parlé de Socrate qui était un homme et que donc quelque chose, mais j'ai oublié l'autre partie. Mais de toute façon, comme je ne savais pas trop ce qu'était un bon ou un mauvais coup, une partie de la démonstration m'échappait. Par la suite, au fur et à mesure des jours, je me suis bien rendu compte que la théorie d'Étienne ne tenait pas la route, car il était véritablement amoureux ; à mon avis, c'est toujours sympa de voir une théorie se casser la figure, c'est le monde qui s'échappe et court entre les mailles du filet. Il était même tout assagi et tout tranquille ; ça vous laisse pas intact, ces choses de l'amour.

Un jour il est venu me voir et m'a demandé, bien embêté :

— Tu sais, toi qui vois les choses de façon poétique, ce qu'on peut offrir à une fille ? Quelque chose de délicat.

— Je ne sais pas, moi, des fleurs.

— Des fleurs ? Pas possible, elle est allergique.

— Alors un parfum. Oui, ce serait bien, un parfum. En général on offre ça : des fleurs ou un parfum. Ou un livre, mais c'est vraiment pour les distingués et quand ça devient sérieux.

Il paraissait vraiment préoccupé.

— Ou bien tu pourrais l'inviter au restaurant, j'ai repris, les chandelles romantiques, ça favorise les rapprochements. J'ai vu un film dans ce style, un soir, à la télé. Au fait, tu lui as parlé de ta vocation ?

— Qu'est-ce que tu veux dire ?

— Tu lui as dit que tu voulais devenir proctologue ?

Il m'a expliqué que depuis qu'il était amoureux les trous du cul l'intéressaient beaucoup moins.

— Alors, pour le cadeau ? Qu'est-ce que tu vas choisir ?

— Je vais l'inviter au cinéma voir un film d'horreur, et je lui offrirai des pop-corn, c'est plus chic, je trouve.

D'un seul coup, je ne sais pas pourquoi, je lui ai demandé :

— Dis-moi, je change de sujet, mais est-ce que tu sais si notre vieille cabane existe encore ?

— Pourquoi ? Tu veux qu'on retourne y faire de la musique ?

J'ai haussé les épaules.

— Non, j'avais seulement envie de savoir si elle était toujours en état.

— Elle est toujours intacte, avec les couchettes et tout, bien confortable… Mais dis donc, c'est peut-être là que je vais l'inviter…

Étienne n'était pas le seul à avoir changé grâce à la magie des sentiments. Un beau jour je me suis rendu compte que notre professeur de math ne boitait plus du tout, qu'elle marchait tout à fait normalement, et même avec assurance. Alors je me suis dit que son bébé était définitivement parti de sa jambe droite et que la vie était sûrement redevenue plus légère pour elle. Parfois pendant les cours, elle avait un air tout rêveur, avec un sourire tout flou sur les lèvres. On voyait qu'elle avait du mal à se concentrer et qu'elle aurait préféré nous parler d'autres choses que de cosinus, de tangentes et de proportions. Au joli mois de juin, on n'y croit plus du tout, à ces choses mathématiques. C'était sûr, d'après moi, qu'elle avait rencontré une personne avec qui, hein, ce qui est beaucoup plus intéressant à mon avis que ces montagnes de chiffres, même pour les spécialistes.

Maintenant elle portait des jupes, à cause de la coquetterie et de la séduction, et des babioles brillantes accrochées à ses oreilles qui m'hypnotisaient pendant les cours. Du coup, moi, je me suis mis à l'admirer un peu, moins que Marie, Haïçam ou papa, mais enfin quand même un peu.

J'ai bien cru qu'avec Marie on allait pouvoir mener notre manège jusqu'au bout. Depuis le concert, les choses étaient devenues très faciles, car personne ne pouvait plus rien soupçonner. Tout le monde avait cru que Marie suivait attentivement la partition, alors qu'elle connaissait le morceau par cœur et que nous avions convenu d'un signe pour que je sache le moment où je devais tourner la page. Ça m'avait demandé une certaine préparation, parce ce que ce n'est pas si facile que ça, de tourner les pages comme il faut ; même dans la vie, c'est super dur de tourner la page ; papa m'avait expliqué que c'était une expression pour parler de l'oubli et de la mise au placard d'une partie de sa vie à cause de la douleur, et j'avais bien compris que c'était comme une invitation.

— Et notre ancienne vie avec maman, tu as tourné la page, papa ?

C'était quand même pas trop le genre à se confier, il se cachait souvent derrière l'immense Panhard, j'avais bien remarqué. Il a voulu me filouter en parlant de la fabrication des PL 17 en Uruguay, avec une histoire de numéro de châssis à coucher dehors.

— La *page*, papa, tu l'as tournée ?

Il a pris son souffle.

— Oui, mais c'était pas un livre de poche, je te jure !

J'ai bien vu qu'il avait peur que je ne saisisse pas cette image, mais d'un signe de tête je lui ai montré que j'étais initié aux expressions paraboliques et que je comprenais ses sentiments.

— On est quand même heureux, papa, tous les deux, non ?

— Évidemment qu'on est heureux ! il m'a dit en m'envoyant sa main dans le dos pour me remettre les idées en place.

Marie m'avait dit que j'étais très doué dans le domaine spécialisé du tournage de page et que quand elle serait célèbre elle me prendrait comme tourneur de page, qui est une place essentielle dans le bon déroulement des concerts. Elle m'a expliqué que certains grands musiciens super doués n'avaient jamais donné leur maximum faute du bon tourneur.

— J'ai beaucoup de chance d'avoir trouvé le mien du premier coup, elle a dit.

Franchement, je ne voyais pas bien en quoi elle pouvait avoir besoin d'un tourneur de page, dans son état visuel, mais bon, c'était pas le moment de la brusquer. Et puis la particularité des gens qu'on aime, j'ai remarqué, c'est de nous persuader qu'on est indispensable alors qu'on sait parfaitement qu'on ne sert à rien.

Le soir du concert tout le monde avait été tétanisé sur son siège, tout rabougri, et on se sentait même gêné d'avoir à respirer. Je me souviens que j'avais placé Haïçam et son père au premier rang. Le respectable Égyptien m'avait même dit :

— C'est shabbat, mais pour une fois je ferai une exception. Pas tant pour la musique que pour le plaisir de voir une foule blousée par une aveugle et un cancre.

Normalement j'aurais dû me sentir vexé, mais avec Haïçam il fallait toujours s'élever au-dessus des choses qui se voient et s'entendent, alors j'ai compris que c'était un grand compliment. Sur la scène je m'étais senti tout nu ; on m'aurait mis à poil, je crois bien que ça n'aurait pas été très différent. Chaque fois que je tournais une page, j'avais l'impression d'ôter un vêtement mais que l'archet de Marie s'agitait pour me tricoter, en mailles invisibles, de nouveaux habits. À la fin, je me suis aperçu que mon cœur battait à toute allure et que j'étais en sueur. Les personnes importantes du collège et de la ville sont venues féliciter Marie, et moi aussi un petit peu, parce qu'elles étaient polies. Marie les regardait droit dans les yeux et je me demandais comment elle faisait pour savoir exactement où se trouvaient les yeux de ses interlocuteurs.

Nous étions persuadés que nous avions franchi le dernier obstacle. Deux semaines. Comme Moïse devant la mer Rouge, il nous suffisait de lever un doigt pour que les dangers s'écartent. Dans le collège, je ne savais plus du tout lequel de nous deux protégeait l'autre. Elle était vulnérable, j'étais son armure. Et pour la première fois, grâce à ce rôle, grâce à la faiblesse de Marie, je me sentais légitime à l'école. Il arrivait par exemple qu'on lui demande de lire un texte ; c'était moi qui prenais la parole, mais on avait l'air de trouver ça normal, comme si nous étions siamois. Un peu comme Laurel et Hardy. Je peux affirmer que j'ai d'abord trouvé ça très agréable. Et puis, au fur et à mesure que nous approchions du concours, j'ai perçu un sentiment que je croyais bien ne jamais devoir connaître. Je commençais à avoir peur que l'année ne se termine, mais pas une petite appréhension, une véritable angoisse qui me prenait brutalement à la gorge le jour et me tribouillait le cœur la nuit : c'était l'immense page impossible à tourner. Un jour j'en ai parlé à Marie :

— Tu vois, lui avais-je dit, ce n'est pas très drôle comme situation. L'école, ça a toujours été la calamité pour moi. Même à la crèche, papa m'a dit que j'ai eu des difficultés d'intégration. Ensuite j'ai failli redoubler ma dernière année de maternelle. Et puis d'un seul coup, cette année, c'est tout le contraire ; c'est la première fois que quelqu'un compte *vraiment* sur moi. Ce n'est pas rien quand même. Je crois bien qu'il suffit de se sentir utile pour être heureux de vivre. Tu comprends, les vacances vont arriver… Toi, tu vas aller dans ton école pour les génies de la musique et de tout. Et moi…

— Et toi ?

Elle me regardait en souriant d'un air malicieux, comme si ce que je disais était ridicule.

— Ben, ce sera de nouveau l'exil… Plus personne. Tout va redevenir comme avant. Sauf que ça ne m'amuse plus du tout, de passer mon temps à cacher le papier toilette. Ils peuvent tous aller chier comme ils veulent, maintenant j'ai d'autres soucis. J'ai atteint une certaine noblesse. Parfois, je t'assure, j'en arrive à souhaiter que tu rates ton concours pour que tu restes avec moi. Mais évidemment je sais bien que ce n'est pas ton genre, de rater, ni le mien de réussir tout à fait, parce que ma vie, c'est comme celle de papa, c'est de prendre des chemins bizarres et pas tout à fait droits. Et l'année prochaine, eh bien, c'est moi qui serai aveugle.

Je voyais bien qu'elle essayait de me comprendre, ce qui était bien gentil et aimable de sa part. Ensuite, au lieu de m'arrêter là en toute dignité, je ne sais pas ce qui m'a pris, j'ai voulu être grandiose dans les sentiments et j'ai dit en baissant les yeux avec la voix grave des déclarations :

— Ma vie en vérité commence le jour où je t'ai rencontrée…

— Tu connais ?

— Je connais quoi ?

— Eh bien, cette phrase de Louis Aragon : « Ma vie en vérité… » ?

— Ah bon ? C'est de lui ? Comment tu l'appelles déjà ?

— Louis Aragon. Un grand poète. Un peu gon-
flant de temps en temps avec ses grands sentiments,
mais enfin…

— C'est drôle, j'étais sûr que c'était un aviateur.
En somme, ce n'est pas si difficile de faire des phrases.
Il suffit de se laisser aller un peu…

On a marché quelques instants en silence, en
direction du conservatoire. Les arbres, les maisons
tout autour se découpaient très nettement, comme
souvent au début de l'été. Je cherchais comment
exprimer ce que je ressentais. J'ai fini par soupirer :

— Enfin tu vois, l'année prochaine, j'aurai le cœur
en braille.

J'étais assez fier de ma formule, surtout parce qu'elle
faisait très exactement le tour de ce que j'avais dans le
cœur et de ce que je redoutais pour les mois à venir.
Marie s'est plantée devant moi et elle a plissé forte-
ment ses petits yeux morts comme si elle les priait de
revoir une dernière minute. Et là, il s'est passé quelque
chose d'incroyable. Elle a glissé ses bras autour de moi
jusqu'à ce qu'ils se rejoignent dans mon dos, et doucement, très doucement, elle a collé son visage contre
ma poitrine, en pliant un peu ses genoux, car elle était
plus grande que moi. Au bout de quelques minutes,
elle a dit :

— Jamais personne ne me dira rien d'aussi beau.
Tant que tu me diras des choses comme ça, je suis
certaine de faire trembler toutes les étoiles avec ma
musique.

— Tu crois ? ai-je répondu comme un imbécile.

— Oui.

Et on a éclaté de rire, parce qu'on avait encore l'âge où se confondent le rire et les larmes… C'est après que notre cœur fait vraiment la différence.

*
* *

Pendant cette période j'ai été vraiment heureux que papa me propose régulièrement de me rendre au Canada avec lui pour aller livrer ses clients. Sans doute estimait-il que je m'étais bien conduit au cours de cette année et que j'avais gagné le droit de prendre quelques responsabilités. Nous remontions dans la nuit. Je me souviens surtout des phares des voitures des autres voies que nous croisions de temps en temps et qui me faisaient cligner des yeux. Rue de l'Échiquier, je chargeais la Panhard grâce à la liste que papa me donnait. Ensuite je le rejoignais dans son « bureau ». Nous tirions au sort notre itinéraire et nous dessinions ainsi des labyrinthes compliqués dans la ville. Parfois papa se laissait aller à quelques considérations sur la vie en général, sur l'histoire ou sur l'évolution des choses, qui ne tournaient plus très rond, d'après lui.

— Tu veux savoir, Victor ?

— Oui, papa.

— La vérité, c'est que depuis que Citroën a liquidé les établissements Panhard, eh bien, rien ne va plus.

— C'est une sacrée vacherie de la part de Citroën.

— Autrefois on n'aurait jamais osé liquider de la sorte le premier constructeur français. Maintenant on ne voit plus des Panhard qu'en Amérique du Sud et à Cuba. Ou au Vietnam.

— C'est dommage, papa, mais c'est la vie…

— La vie est mal faite, si tu veux mon avis.

Nous étions, comme ça, le père et le fils dans les nuits d'été. Nous visitions les clients de papa les uns après les autres. Nous en voyions tellement que leurs visages et leurs adresses finissaient par se confondre dans ma tête. Je me souviens un peu plus nettement d'un vieux monsieur qui commandait à papa tout ce qui pouvait avoir un rapport avec Joseph Caillaux. Il nous offrait une tasse de thé et finissait toujours par me dire, en me regardant droit dans les yeux :

— N'oublie pas. Ton père, c'est le meilleur. S'il avait voulu, il aurait pu aller travailler en… en… en Amérique, tiens. Le meilleur, hein, tu te rappelleras.

— Oui, le meilleur, je me souviendrai… ou j'essaierai… Le meilleur.

Une fois, j'avais questionné mon père :

— Pourquoi le client de la rue de Courcelles me dit sans arrêt que tu es le meilleur ? Et le meilleur dans quoi ?

— Je ne sais pas.

— Et pourquoi l'Amérique ?

— Je ne sais pas.

— C'est bizarre quand même, tu ne trouves pas ?

274

— À mon avis, il me confond avec quelqu'un d'autre. Les collectionneurs sont souvent des gens dérangés. Et puis le meilleur, ça ne veut pas dire grand-chose ; Paul et Jean Panhard aussi étaient les meilleurs, ça n'a pas empêché Citroën de leur faire son coup de vache.

— Moi, papa, je pense qu'il a raison et que tu es vraiment le meilleur. Mais alors vraiment de vraiment.

Il conduisait en regardant droit devant lui, comme s'il ne m'avait pas entendu. J'ai laissé passer quelques secondes en le regardant à la dérobée. Et j'ai repris :

— Je ne sais pas trop en quoi, ni même ce que ça veut dire, mais j'en suis certain.

C'était drôle de circuler dans la ville déserte et noyée dans la nuit. Nous repassions plusieurs fois au même endroit, comme si nous étions perdus, et je finissais par me demander si papa, malgré son air assuré et confiant, ne circulait pas au hasard. Il me semblait que les feux rouges duraient des heures, que papa conduisait de plus en plus lentement et que nous allions continuer à tourner, tourner comme ça jusqu'à la fin des temps, dans cette grosse Panhard qui nous raccrochait encore un peu au monde réel. Petit à petit je tombais dans le sommeil et papa démarchait seul ses derniers clients. Parfois je me réveillais vaguement et je pensais à Marie, qui était vraiment la meilleure, et j'essayais d'espérer que ça lui servirait à quelque chose, un jour.

À force d'avoir de la chance et de passer à travers les gouttes, j'avais fini par croire qu'on arri-
verait jusqu'au concours sans attirer l'attention.
Mais on a bien tort d'être un peu optimiste, comme
m'avaient appris les émissions historiques de papa.
Tout de même, les choses paraissaient si faciles que
ça en devenait tout à fait amusant. Il faut dire aussi
que Marie était de plus en plus jolie, avec toutes ses
boucles rousses qui lui tombaient maintenant sur les
épaules comme des bijoux, et ça aussi, c'était de l'espoir tout debout devant moi. Le charmant, c'était de
la retrouver devant l'église avant d'arriver au collège
pour lui mettre son rouge à lèvres et lui donner les
devoirs que j'avais recopiés, et envisager les difficultés
de la journée. Je m'appliquais bien, pour éviter que
le rouge ne dépasse, et c'était difficile, parce que en
coloriage je n'ai jamais été comme il faut. Et la vérité,
c'était que mon cœur était lui aussi tout barbouillé de
rouge amour, comme la pomme qu'on avait partagée
à la fête foraine, mordu et grignoté tout pareil, avec
un tout petit pépin au centre.

J'ai remarqué que quand les choses se détraquent,
c'est toujours très brusquement. Les malheurs qui
arrivent à petits pas, moi, je n'y crois pas. Je dois dire
que j'avais presque oublié Van Gogh et son oreille.

Mais lui n'avait rien oublié. C'est à la vengeance qu'on reconnaît les gens vraiment méchants, à mon avis. Certainement, il avait dû nous observer très attentivement et déduire des choses de notre comportement, avec dans l'idée de nous séparer et de délocaliser Marie. Parfois la méchanceté, ça rendrait presque intelligent.

J'ai compris que ça allait mal tourner quand Marie m'a tendu une carte, un soir, sur le chemin qui nous menait chez elle.

— Tiens, regarde, on m'a donné une invitation pour un anniversaire. Il faut que tu me la lises. Je pense que je dois y aller, sinon ça va paraître bizarre.

J'ai regardé la carte. Elle était blanche. Un simple carton blanc.

— Mais qu'est-ce que tu as dit ?

— Eh bien, il fallait que je donne une réponse tout de suite, alors j'ai fait semblant de lire la carte et j'ai dit que je viendrais et que je connaissais bien la rue indiquée. Maintenant j'ai besoin de savoir quand et où a lieu cette fête... peut-être que tu peux venir aussi...

C'était la catastrophe. Le tsunami du siècle. Je regardais la petite carte blanche comme neige qui était en train de nous faire chuter.

Je me suis adossé contre un arbre. Au loin j'entendais le bruit des boules de pétanque qui s'entrechoquaient et, juste après, les cris admiratifs des joueurs.

— Je ne veux pas t'affoler, mais je crois qu'on nous a tendu un piège. Il n'y a rien d'écrit sur cette carte. Rien du tout.

Elle est restée très calme, sans rien dire. Elle semblait réfléchir.

— Et c'est grave ? elle a demandé.

C'était à en tomber à la renverse comme sens des réalités. Faut vraiment éviter de confier le sort du monde aux intellectuels, comme disait papa. Je ne sais pas pourquoi, mais encore une fois les images des émissions sur les déportations m'ont traversé la tête. Je me suis secoué pour les oublier.

— Ça veut dire qu'on a voulu prouver que tu ne vois rien. On va nous dénoncer. Tu peux me croire : tes parents seront au courant demain matin. Peut-être avant.

On s'est remis en marche sans rien dire.

— Je crois que tu as raison. Il n'y a pas d'autre explication. À quoi ça rimerait sinon ? Il faut voir les choses en face. C'est dommage, parce qu'on était au bout. Il manque combien de jours ?

— Quatre, j'ai dit en lui mettant rageusement quatre doigts sous les yeux, même si ça ne servait à rien.

— J'avais déjà choisi ma robe pour le concours. C'est toujours à la fin qu'on se relâche. C'est curieux, cette tendance, d'ailleurs. Dans les concerts, c'est pareil.

— Tu crois vraiment que c'est perdu ?

Elle a sursauté, parce que ma voix avait un ton bizarre et tout fêlé.

— Ce n'est peut-être pas si grave après tout. Mes parents me mettront dans cet établissement très chic et spécialisé où je pourrai faire des études.

— Et tu es toujours certaine qu'ils ne peuvent pas changer d'avis ?

— Certaine. Ils en ont encore parlé la semaine dernière... Au départ ils étaient déjà pas très chauds pour que je mise tout sur le violoncelle... La musique, c'est une profession à haut risque ! T'es vite sur la touche... Alors tu penses, maintenant... Mais t'inquiète pas pour moi, je jouerai de la musique aux anniversaires, voilà. Il ne faut pas te tracasser.

Elle s'est mise à me caresser l'épaule, comme si c'était moi qui devais être consolé.

— C'était quand même une belle aventure...

Je me suis mis à gueuler, comme si elle était sourde en plus :

— Ne dis pas ça ! Écoute-moi bien : je te jure sur... sur la Panhard de papa, tiens, et sur les trois mousquetaires en plus, je te jure que ce concours, tu vas le passer ! Je ne sais pas comment ça va tourner ni comment on va se débrouiller, mais ce que je sais, c'est que dans quatre jours tu leur joueras ton morceau, et qu'ils en trembleront pendant un mois comme tous ceux qui t'écoutent, et que ce sera le tapis rouge jusqu'à la fin des temps.

Elle n'avait pas du tout l'air persuadé. Elle a quand même dit :

— Tu es gentil.

Après, on s'est séparés, parce qu'elle voulait aller chercher son violoncelle et se rendre au conservatoire. Moi, je suis passé devant l'église et une nouvelle fois j'ai eu envie d'y entrer. Vraiment, je ne m'y sentais pas chez moi, mais parfois, dans les situations de désespoir, on va chercher du soutien là où on n'aurait jamais cru. J'ai sorti quelques pièces et j'ai allumé un cierge, ça brille un peu, c'est une petite chaleur, avec une fumée tourbillonnante qui semble monter quelque part, là-haut.

Je suis arrivé à la maison sur les genoux. Papa m'a dit que j'avais de la fièvre, un bon 38 degrés, à son avis. D'après lui, j'avais une gueule à avoir enterré père et Panhard dans la même journée.

— T'as ta tête de celui qu'est pas gaulé pour le bonheur, mon vieux, il m'a dit.

Je n'ai même pas osé me regarder dans le miroir. J'ai eu envie de tout lui déballer depuis le début, mais j'ai renoncé, parce que je me suis dit que peut-être il allait trouver plus raisonnable de tout dire aux parents de Marie, et alors là, ce serait terminé : un enterrement de première classe !

Pendant le repas, je n'ai presque pas touché à mon assiette et papa a voulu me distraire en me montrant un livre historique sur les Panhard. On y voyait plein de photographies en couleurs de berlines sous la neige, au bord de la mer, en ville. J'écoutais vaguement papa me détailler le système révolutionnaire « relmax » – relax maximum – qui équipait certaines PL 17. Je ne me sentais pas tellement concerné, mais je me suis dit que c'était tout de même bien d'avoir une passion. À mon avis, les passions pour les Panhard, les échecs ou la musique, ou les collections, c'est une sorte de mécanisme d'autoprotection inventé pour la mise à distance et éviter de trop s'intéresser aux autres personnes ; ça évite d'être trop porté à la compassion, qui est un sentiment pas confortable du tout.

J'ai fait la gueule toute la soirée. J'ai essayé d'être méthodique, comme nous disaient tous les profs.

1. Qu'est-ce qui est à redouter ?

TOUT

2. Qu'est-ce qui est à espérer ?

RIEN

C'était simple et sans bavure. Il n'y a pas à dire : la méthode, ça invite à la lucidité. Si Van Gogh avait monté cette affaire, c'était certainement avec une idée derrière la tête. J'allais être bon pour de nouveau pratiquer la défense nimzo-indienne ; et exercer ma compréhension des dangers qui nous menaçaient de façon à la rendre bien supérieure à ces dangers mêmes ; ça s'appelle la faculté d'anticipation, qui est une qualité essentielle dans la vie en général. Alors merci, monsieur Nimzowitsch.

J'en étais là de mes réflexions et déductions quand je suis entré chez Haïçam, le lendemain matin, très tôt. J'avais la tête farcie et je n'aurais pas été étonné de me découvrir du persil sortant de mes narines. Haïçam préparait le jeu d'échecs, avec des gestes très lents.

Je ne l'ai pas laissé parler et j'ai attaqué tout de suite :

— Parle-moi de Nimzowitsch, tu sais, le type qui survit en se défendant...

Il a levé sa grosse tête et son regard me disait qu'il avait tout compris. Il m'énervait un peu. Il a souri.

— Eh bien, la grande découverte de Nimzowitsch, Aaron de son prénom, fut de découvrir l'efficacité du jeu négatif. Tu me suis ?

— C'est-à-dire, sans t'offenser ?

— C'est-à-dire faire avorter les tentatives de l'adversaire avant de songer soi-même à attaquer. Son slogan, c'était : « Restreindre, bloquer, enfin détruire ».

— Chouette programme. Et il a fini comment, ton Nimzowitsch ?

— Il est mort d'une stupide pneumonie en 1935, à quarante-huit ans.

Un silence a suivi, et je me suis fait des réflexions philosophiques sur les stratégies inutiles face à certains adversaires que même de grands maîtres très intelligents n'arrivent pas à déjouer.

J'ai eu l'impression que mon Égyptien avait oublié ma présence dans la loge, mais je me trompais, parce que au bout d'un moment il m'a dit d'une voix très basse :

— Tu vas être convoqué tout à l'heure.

J'étais à peine surpris. Je n'avais plus beaucoup d'émotions à laisser sortir. J'étais comme une serpillière essorée.

— Je m'en doute. On est mat cette fois-ci.

— Mais non. C'est la finale, c'est tout. Disons que tu as un léger handicap. Nimzowitsch ne te sera utile que si tu l'associes à Reshevsky. Souviens-toi que Reshevsky était un spécialiste des finales.

— Le Maestro de l'échappatoire ?

— C'est ça, le Maestro de l'échappatoire !

Je sentais bien que mon vénérable Égyptien essayait de me communiquer quelque chose dans son langage symbolique. La compréhension des dangers + l'échappatoire… D'un seul coup je me suis levé. Le collège était encore désert, seules les femmes de ménage poussaient leurs chariots chargés de serpillières qui ressemblaient à de vieilles méduses mortes. À cette heure-là il est assez facile de ressortir du collège sans que personne ne vous remarque. J'ai repris le chemin en direction du village et j'ai fini par l'apercevoir, qui marchait de sa façon appliquée et mécanique. C'était drôle, parce que d'autres élèves se dirigeaient vers le collège, et moi, je remontais le courant en direction de Marie. Je la voyais de loin et j'ai réalisé que son attitude se relâchait et qu'elle soignait beaucoup moins ses gestes. J'aurais dû me rendre compte bien avant qu'elle ressemblait de plus en plus à une aveugle, mais à force de la fréquenter c'était évidemment tout à fait autre chose que je voyais chez elle. Tout en courant j'ai élaboré une théorie psychologique. Selon moi, au fur et à mesure des semaines, Marie avait dû finir par oublier ses gestes de voyante, si bien qu'elle ne réussissait plus du tout à s'imiter et que, sans s'en rendre compte, elle ne se ressemblait plus du tout. Elle a brusquement levé le visage vers moi, sans oser parler, parce qu'elle n'était pas certaine de qui elle avait en face. Pourtant elle ne se trompait jamais, elle me reconnaissait à chaque coup, sûrement à cause de l'intuition, qui est surtout une qualité de femme d'après ce qu'on dit.

— C'est toi, Victor ?

J'aimais bien laisser passer quelques secondes avant de répondre, pour voir comment elle réagissait. En général ça ne la perturbait pas beaucoup, car elle avait une grande confiance en elle malgré son handicap.

— Victor, je sais bien que c'est toi. Tu ne me fais pas peur ; je te reconnais bien. Je t'ai attendu devant l'église… Comment ça se fait que je te retrouve ici ?

Elle a sorti de son sac un tube de rouge à lèvres. Elle m'a tendu ses lèvres, qui formaient un rond un peu crispé. C'était comme un bonbon tout pâle.

— Écoute, j'ai dit, il y a urgence. La carte, c'était bien un piège. Mon respectable Égyptien m'a dit qu'on allait être convoqués. Il sait tout ce qui se passe au collège, tu sais. Concierge, ça gagne pas beaucoup, mais c'est une bonne place pour les informations. C'est comme une tour de contrôle.

J'ai effectué une pause pour voir comment passait l'information. Elle semblait très calme, comme soulagée presque.

— Bon... Voilà ce que je vais faire... Je vais retourner chez moi et je vais dire la vérité à mes parents. Un simple coup de fil à l'établissement spécialisé et c'est réglé... Si ça se trouve, je n'aurai même pas à remettre les pieds au collège. C'est pas de chance, voilà ! C'est le relâchement des fins de concert : le plus grand piège tendu aux musiciens ! Le plus grossier, mais pourtant le plus dangereux !

Sa voix a fait un gros couac. Elle se mordait les lèvres, et on voyait la petite trace de ses dents.

— D'abord donne-moi le rouge à lèvres. Voilà... très bien... comme ça, c'est mieux... très joli... Même pour affronter la défaite, il faut être présentable ! Maintenant ce que je peux dire, c'est que mon père regarde beaucoup d'émissions historiques... et moi, je les regarde avec lui, parce qu'on a toujours fait la même chose tous les deux, mais c'est trop long à expliquer. Un jour j'ai vu un documentaire sur les Juifs, que les nazis voulaient mettre dans des sortes de camps pour les faire mourir. Et c'est pas des histoires, ça a vraiment eu lieu. Au début je ne voulais pas croire qu'on avait fait du savon avec leur graisse et des oreillers avec leurs cheveux, mais papa m'a expliqué que c'était la vérité.

— Je sais.

— Tu savais déjà ?

— Mais oui. Mais pourquoi tu me parles de ça ? Tu es quand même bizarre parfois.

— Mais non, écoute, ça a un rapport. Certains Juifs ont tout de suite vu qu'on voulait les délocaliser, et même les tuer, alors, pas fous, ils se sont sauvés un peu partout dans le monde !

— Bon, et alors ?

Elle n'avait pas l'air de comprendre.

— Tu es bouchée ou quoi ? j'ai crié.

Je l'ai secouée par les épaules. Elle était aussi légère qu'une poupée.

— Il faut qu'on se sauve, Marie, et qu'on tienne jusqu'au concours ! Trois jours et deux nuits, c'est pas la mort. Sinon ils vont te parquer dans un camp spécialisé, et moi, je ne m'en remettrai jamais, à cause de la compassion et de l'exil entre toi et moi. J'ai bien retenu ça dans les émissions historiques de papa : l'arme, c'est la fuite. Je veux pas qu'on cale ! Pas seulement pour toi ! Pour moi aussi. Parce que avant j'étais un moins que rien et que maintenant je vaux un peu plus grâce à toi. Je ne parle pas de toutes les choses scolaires, parce que ça, c'est pas tellement important dans le fond, et puis je sais bien que je ne serai jamais aussi intelligent que toi ou Haïçam, mais c'est plutôt rapport aux choses de l'esprit. Je me suis un peu élevé dans ce domaine, édifié si tu veux, comme si on m'avait greffé une âme depuis que je te connais... Si on ne va pas jusqu'au bout, je vais retomber encore plus bas qu'avant et j'ai l'impression que je resterai tout gris de poussière jusqu'à la fin de ma vie, et ce sera la fin de l'espoir.

Pour toute réponse elle a éternué, alors je lui ai tendu un mouchoir. Elle avait le nez tout rouge, et pas l'air très bien.

— Se sauver ? Mais où ? Tu as une idée ?

— Oui, je sais où aller. Tes parents sont là ?

— Non, ils sont loin et vont rentrer tard.

— Alors retourne chez toi et emballe quelques affaires bien chaudes. Je viens te chercher dans deux heures. D'abord faut que je m'occupe de quelqu'un qui a besoin de mon assistance.

— Tu te spécialises dans l'action humanitaire ?

— Oui, à cause de la sécurité de l'emploi.

— Et le violoncelle ?

— Quoi, le violoncelle ?

— Je le prends ?

— Évidemment tu le prends.

Elle hésitait encore.

— Et, dis-moi...

Elle avait l'air vraiment très préoccupée.

— Quoi ?

— Faut que je prenne un pyjama ?

— Un pyjama. Évidemment qu'on va prendre des pyjamas.

Les artistes et la vie pratique, ça fait deux.

12

Il m'a regardé avec des yeux tout étonnés, a hésité
un peu comme s'il flairait un piège, mais il n'a pas
résisté aux graines que j'avais déposées sur le pavé.
Son petit bec jaune brillait dans le soleil frais du
matin et cognait contre la pierre. Ses pattes l'ont
porté en sautillant un peu plus loin dans la cour.
J'ai eu l'impression qu'il se retournait comme pour
un dernier regard, et j'ai compris que ça allait être
une séparation. Il y a eu un bruit d'ailes froissées,
et même si c'était la séparation, j'étais content qu'il
s'échappe.

Ce qui m'inquiétait un peu, c'était la réaction de
papa à son retour. Je lui avais laissé un mot pour
lequel je m'étais appliqué : j'avais besoin de faire le
point tout seul. Sur l'avenir et la vie en général. Lui-
même était un adepte de cette activité et ça allait sans

doute le tranquilliser. Je me suis dit qu'il comprendrait ce besoin-là. Je lui avais bien expliqué que je ne pouvais pas lui dire où j'allais, mais que je ne me mettrais pas en danger et que dans quelques jours je l'accompagnerais tous les soirs au Canada après m'être rasé. J'avais souligné le mot « rasé ». Je lui demandais aussi pardon pour les boîtes de raviolis que j'emportais. J'avais essayé d'être vraiment rassurant et consolant, mais ça me faisait quand même scrupule, qui est une *incertitude d'une conscience exigeante au regard de la conduite à avoir. Inquiétude sur un point de morale.* Je me disais que Marie aussi devait éprouver cette incertitude de la conscience.

Je la tenais par la main et j'écrasais les ronces devant elle pour qu'elle ne se déchire pas les jambes. Elle portait son violoncelle sur le dos, dans une boîte plus large qu'elle. Le bois était profond, sombre, frais et la cabane, comme me l'avait dit Étienne, n'avait pas changé. Un petit éclat de nostalgie m'a replongé dans cette période… Elle était vraiment chouette, cette cabane, avec sa vraie porte, ses quatre couchettes et son coin cuisine… Nous l'avions construite dans l'intention de venir nous y déchaîner musicalement pendant plusieurs jours ; mais sans courant électrique, le rock, c'est un peu mou et on avait vite abandonné l'idée de l'exil artistique. J'espérais seulement qu'Étienne n'avait pas l'intention de venir y faire un séjour avec Peau de crapaud. C'était vraiment pas la même note à tenir ; entre leur roucoulade sur fond de rock'n'roll et le destin de Marie cousu de doubles croches, il y avait une marge.

Trois petits jours et deux nuits. Deux nuits à croiser les doigts. Avec un peu de chance, on pouvait espérer que les parents de Marie ne lanceraient pas les recherches avant le lendemain, ou même le sur-lendemain. C'était jouable. Et dans ce cas on avait toutes les chances d'aller passer notre concours sur du velours, sans rencontrer d'obstacles.

— Regarde, m'a dit Marie en fouillant dans son sac, regarde ce que j'ai pensé à prendre…

Elle tenait le papier à la façon d'un étendard. J'ai lu : « Vendredi, 11 heures ». J'avais déjà le trac.

— C'est la convocation à l'audition. Heureusement que maman, la semaine dernière, m'a dit qu'elle l'avait accrochée au réfrigérateur… Bon sang, Victor, tu crois vraiment qu'on va y arriver ? Franchement, si tu me mènes à la sortie du labyrinthe, tu seras le vrai maestro.

— On peut nous dénicher avant, évidemment, j'ai dit à Marie, mais au moins on aura tout essayé !

Je disposais les boîtes de conserve dans une cagette qui datait d'autrefois tandis que Marie tâtonnait le long des murs pour se rendre compte des lieux et des possibilités de rangement. J'ai sorti de mon sac le dictionnaire et j'ai installé dessus le petit réchaud de papa. Marie s'est mise à défroisser une robe élé-gante, pour ensuite la suspendre à un cintre qu'elle a fait tenir en équilibre sur un vieux clou qui dépassait.

— Tu as l'intention d'aller danser ? j'ai demandé.

— C'est pour l'audition, idiot !

Vraiment, je crois bien que nous étions heureux. Tout autour, c'était le silence, avec uniquement la vie mystérieuse de la forêt et le doux frôlement du vent.

— Tu crois qu'on s'est aperçu de notre absence au collège ? elle m'a demandé.

J'ai regardé ma montre.

— Oui, évidemment. Mais Lucky Luke est trop occupé à lire pour réagir tout de suite… Personne ne sera prévenu avant ce soir. Au moins jusqu'à demain, on est tranquilles.

L'après-midi, je l'ai vue sortir le violoncelle et appliquer de la colophane sur l'archet, avec ce geste si doux qui ressemble à une longue caresse. Ses cheveux éclairaient la cabane de leurs éclairs de miel. J'essayais de ne rien perdre de ce spectacle, car je sentais que c'était le moment de me préparer des souvenirs, qui sont bien plus importants, pour des garçons dans mon style, que toutes les questions artistiques. Entre les cordes je voyais le visage de papa. Lui aussi, un jour, il ne serait plus qu'un énorme souvenir, à cause du temps qui passe. Et contre ça, contre cette morsure, il n'y a rien à faire.

Je me suis installé sur une couchette, le menton dans la main droite. Elle a commencé à jouer un air de Jean-Sébastien que j'avais déjà entendu chez elle. L'archet glissait en ondulant sur les cordes comme un long serpent. Parfois il s'arrêtait brusquement, et les cris des oiseaux de la forêt meublaient le silence.

— Ce passage, tu le préfères quand je le joue comme ça ?… m'a demandé Marie.

J'ai tendu l'oreille.

— Ou plutôt comme ça ?…

Je n'avais pas vu de différence.

— Je voudrais seulement savoir comment tu aimerais l'entendre après-demain… Je ne te demande rien d'autre.

— Plutôt la deuxième façon alors.

— Tu as raison. Moi aussi.

J'étais flatté.

Le soir est arrivé. La nuit baignait la cabane, et les formes mouvantes des arbres nous tenaient compagnie. Il a bien fallu se déshabiller et un grand silence s'est établi entre nous. Évidemment j'y avais songé à l'avance, mais je m'étais dit que nu ou habillé, ça ne faisait pas de différence pour Marie. Mais je me trompais, car plus elle était aveugle et plus je me sentais regardé. Alors, pour préserver les choses de la pudeur, j'ai séparé la cabane en deux, grâce à un long tissu, mais je la voyais quand même en ombre chinoise qui se tortillait pour enfiler son fameux pyjama. Et le violoncelle aussi projetait son ombre sur le mur de la cabane, mais gigantesque, presque monstrueuse, comme si l'instrument allait gober Marie pendant son sommeil. Comme le Minotaure.

On a guetté les bruits de la forêt et la conversation des arbres en échangeant quelques mots gentils et encourageants.

— Tu crois qu'on nous cherche ? elle m'a demandé.

— Pas encore. Ils vont attendre de voir si on revient pas tout seuls. T'inquiète pas, dans deux jours tout est fini. Tu sais quoi, Marie ?

— Non…

J'ai hésité.

— Toute cette année, tu m'as prêté ton rêve. Je ne l'oublierai jamais.

Mon cœur s'est serré, car ce qu'on était en train de vivre, c'était en effet du passé en préparation. J'ai pensé à papa et à son inquiétude, et je me suis dit qu'il était bien difficile de faire du bien à une personne sans faire du mal à une autre.

C'est au milieu de la nuit que les choses ont commencé à changer. Le vent sifflait et la pluie tambourinait sur le toit. Les arbres tout autour se tordaient de façon sinistre, égouttant sur notre abri des tonnes d'eau. Surtout, jusqu'au matin, la température a chuté, comme si la saison marchait à reculons. Marie toussait et un sifflement aigu se mêlait à sa respiration.

On s'est réveillés au petit jour avec l'impression d'avoir dormi dans une éponge et je m'attendais à trouver des champignons dans mes chaussettes. La pluie continuait à battre la forêt ; un brouillard glacial semblait monter du sol. J'ai voulu être rassurant :

— C'est bien… Ça pouvait pas mieux tomber !

— Tu trouves ? J'ai froid. Et faudrait des palmes pour mon violoncelle.

— Mais oui, ça va retarder les recherches. Par ce temps, jamais ils viendront nous chercher ici.

Marie avait les joues rouges, les yeux brillants. Je me suis souvenu du geste rassurant de papa : j'ai posé ma main à plat sur son front.

— Tu fais quoi ?

— Je regarde si tu as de la fièvre…

— Et alors, docteur ?

— Alors j'en sais rien, parce que c'est un truc de papa, qui doit avoir des repères que je n'ai pas.

J'ai fait chauffer une boîte de raviolis, en utilisant une armée d'allumettes dont beaucoup étaient gorgées d'humidité et s'écrasaient comme de la pâte à modeler.

Ensuite Marie a essayé de répéter, mais le froid grippait ses doigts. Le son, de toute façon, ne sortait plus bien du violoncelle, qui était comme enroué.

— Il est quand même super susceptible, j'ai dit.

— Il est vivant, c'est tout, a répondu Marie, il a pris froid.

Alors elle a fait un truc extraordinaire. Elle s'est mise à le frictionner, son violoncelle, sur le ventre, sur le dos, sur le côté, à lui souffler dans les bronches par les ouvertures, comme on fait pour un grand noyé.

Elle aussi avait pris froid. Elle s'est couchée et a dormi une grande partie de l'après-midi, emmitouflée dans son sac de couchage. Des quintes de toux déchiraient son sommeil et se mélangeaient à la pluie qui, sans jamais s'interrompre, frappait les arbres et s'insinuait par filets entre les planches de notre abri. Nous étions comme à bord du *Titanic*. Après l'iceberg.

Une nuit, un jour.

Je me suis souvenu d'une émission historique que j'avais regardée avec papa et au cours de laquelle il avait été question de ces soldats de la Première Guerre mondiale qui avaient combattu pendant quatre ans dans des conditions horribles et qui s'étaient fait serrer par la grippe espagnole le jour de l'Armistice, au milieu de la fête générale.

Je commençais à me demander si nous n'allions pas devoir nous rendre avant la fin des combats, vaincus par une simple grippe, même pas espagnole en plus.

Le soir, elle m'a demandé de lui lire de la poésie, dans un livre qu'elle avait apporté tout exprès.

Il y avait de jolis poèmes, j'avoue, mais ça m'inquiétait plutôt, qu'elle veuille écouter de la poésie comme ça, tout allongée, ça avait un côté messe qui me glaçait le sang. Pendant que je lisais, elle me regardait avec un drôle d'air, les sourcils un peu froncés et tremblotants. Et puis elle toussait, comme si elle avait ses poumons sur la langue. À un moment le découragement m'a pris. Je lui ai demandé :

— Tu veux qu'on rentre ?

— Sois sérieux, Victor.

Je ne voyais pas trop pourquoi elle me faisait cette réflexion, parce que, vraiment, je n'avais jamais été aussi sérieux que ce jour-là, et que justement le sérieux, c'était peut-être de rentrer sagement à la maison.

Ensuite j'ai voulu préparer un repas chaud, mais je me suis aperçu que j'avais vu un peu juste : il ne restait qu'une toute petite boîte de raviolis. Et une seule allumette. J'ai regardé dans le dictionnaire.

Sacrifice : *Offrande rituelle à la divinité. Renoncement ou privation volontaire (en vue d'une fin religieuse, morale ou utilitaire).*

Ça ne m'a pas beaucoup aidé moralement, mais quand même j'ai tout versé dans son assiette. La compassion, ça devient beaucoup plus compliqué, quand il s'agit de sauter un repas. À cet instant j'ai souhaité qu'on ait lancé des recherches et qu'on nous déniche immédiatement. Marie m'a dit, enrouée comme le violoncelle :

— Ils sont bons, tes raviolis.

— C'est le plat préféré de papa, surtout ceux de cette marque.

Mon cœur s'est serré, à cause de la cavalerie des émotions et aussi de la faim. J'ai tout bouclé à l'intérieur.

— Oui, ils sont super, j'ai repris, d'ailleurs j'ai vidé mon assiette.

Je me suis dit que la compassion, c'était vraiment un jeu d'andouilles. Le ventre vide, on a rarement le cœur plein, c'est mon strict avis.

Au cours de la soirée, et tandis que la nuit tombait comme un rideau, ça ne s'est pas arrangé, parce que Marie a vomi tout le repas. Elle s'est recouchée aussitôt après. J'ai juste eu le temps de lui dire en la secouant un peu :

— Faut qu'on rentre, Marie, ça ne va pas du tout ! Tu as vomi mes raviolis et tu es toute blanche. Tu es malade ! Faut qu'on te soigne ! Ici, c'est une vraie passoire, ça va te tuer !

— Je suis malade, mais je te jure que ça va aller. C'est une grippe ou quelque chose comme ça. Ou le trac, tout simplement, le trac, je crois… Prends-moi la main, ça me fera du bien.

J'ai senti comme un petit cœur qui battait *allegretto* au creux de sa main, et j'avais l'impression de tenir mon merle.

— Mais tu te rends compte de la fièvre que tu as ! Et tu trembles comme une feuille. Laisse-moi au moins aller chercher des provisions, et aussi des médicaments. Sinon, même si on tient jusqu'à demain, tu ne seras de toute façon pas assez solide pour jouer… quoi déjà ?

— Le prélude de la *Cinquième Suite*.

— De Jean-Sébastien ?

— Oui, de Jean-Sébastien.

— Eh ben, pour lui faire honneur, à Jean-Sébastien, faut que tu sois en forme. Tu crois qu'il serait content de te voir dans cet état ? Avec tous les enfants qu'il a eus et son instinct paternel, il doit avoir un œil sur toi !

Elle a fait d'accord avec la tête et elle ajouté très faiblement :

— Mais seulement si tu me promets de dormir avec moi ! Reviens vite.

*
* *

Je suis sorti du bois. La torche faisait un long pinceau dans la nuit et éclairait les gouttes qui rayaient l'espace obscur. Les routes étaient luisantes sous la pluie, comme brillantinées. Je me demandais si le plus raisonnable n'était pas de prévenir quelqu'un, papa s'il était là, ou même les parents de Marie s'il le fallait. Je pouvais même aller tambouriner chez Haïçam, qui n'allait pas me faire son parabolique pour une fois. Je n'étais pas disposé à entendre parler de façon obscure des choses simples et tragiques. J'avais bien vu que Marie était en train de me filer dans les doigts, que ses dernières forces s'écoulaient petit à petit comme un ruisseau dans du sable. Je me suis assis quelques instants sur le banc d'un Abribus et je me suis mis à pleurer. Je tenais dans mes mains à la fois la vie et le destin de Marie.

J'ai traversé le village et je suis arrivé devant l'église, que j'ai éclairée avec ma torche ; la porte était ouverte. J'étais étonné, car je croyais qu'il y avait des heures de fermeture, comme pour n'importe quelle boutique. Je me suis demandé quel réconfort je pouvais venir chercher dans un endroit pareil. Je suis entré et j'ai vu une sorte de lumière au fond. C'était intimidant comme situation. J'ai éteint ma torche. J'ai bien distingué, de dos, un homme en train de disposer des objets sur la table qui porte un nom savant que j'ai oublié. Au bout d'un moment l'homme occupé s'est retourné. Il m'a demandé :

— Tu pleures ?

J'ai essuyé mon visage et j'ai fait oui de la tête.

Il a soupiré et a dit :

— Yannick Noah s'est fait éliminer de Roland-Garros. C'est triste.

Je m'attendais à tout sauf à ça et je me suis pincé pour vérifier que je ne rêvais pas. Je me suis dit qu'il devait s'agir d'un curé parabolique à l'expression obscure.

— C'est une parabole ? j'ai demandé pour paraître au courant.

Il m'a regardé bizarrement et il s'est de nouveau occupé de sa table. J'entendais des objets s'entre-choquer. D'un seul coup il s'est retourné vers moi. Il avait l'air en colère.

— Je t'ai dit que Yannick Noah s'était fait éliminer de Roland-Garros et tu ne fais rien ?

— Mais, monsieur, je n'y peux rien. Rien du tout. Il y a des fois où on ne peut rien, face aux événements.

Il a semblé réfléchir en lui-même.

— C'est vrai. Tu n'y peux rien. Personne n'y peut rien. Yannick Noah s'est battu, mais son rêve lui a échappé.

— Je vais vous laisser, monsieur, je crois que c'est mieux.

— C'est dommage, car je pense que tu es compatible.

— Compatible ? Compatible avec quoi ? Vous êtes extrêmement parabolique, monsieur.

— Compatible, c'est tout. Il faudra revenir et nous ferons des tests.

Je commençais à avoir la trouille.

— Des tests ?

— Maintenant il faut attendre Wimbledon. C'est embêtant. Tu ne pouvais pas arriver avant ? Tu ne pouvais pas te dépêcher ? Tant pis, tu auras droit à des prélèvements complets. Te fais pas de soucis, car j'ai aussi mon diplôme d'infirmier…

Est-ce que je devenais fou ? J'ai cavalé à travers l'église à toute allure. Je me suis retrouvé sur la place où s'était tenue la fête foraine et j'ai repensé à cette pomme d'amour que nous avions croquée, Marie et moi. J'avais faim, les jambes en coton et la peur au ventre. La lune est apparue brusquement, tout là-haut, et j'avais l'impression qu'elle me tirait la langue.

C'est alors que j'ai vu la voiture de police. Elle était garée devant la mairie et son gyrophare jetait dans les ténèbres des zébrures multicolores tournoyantes qui dessinaient un décor féerique sur les murs des maisons. J'allais me faire pincer, c'était certain, si je m'aventurais jusqu'à la maison.

J'ai fait demi-tour en rasant les murs. Mon cœur battait si fort que j'avais l'impression qu'il allait surgir de ma poitrine. J'ai repris la direction de la forêt, en marchant sur la pointe des pieds, comme si j'avais peur de réveiller la population. Je me suis engagé sous les arbres, où je me suis senti plus en sécurité. J'ai retrouvé un peu de calme au milieu des ombres qui dansaient mystérieusement.

Dans la cabane toute dégoulinante, Marie s'était endormie. Ses cheveux étaient collés par la sueur en une épaisse pelote. Elle semblait toute petite et perdue dans son gros sac de couchage, je me suis dit qu'elle était sûrement moins lourde que le violoncelle. J'ai pensé à mon respectable Égyptien qui parlait souvent de « situations bloquées » sur l'échiquier. Marie poussait de faibles gémissements, comme si elle rêvait. Je me suis couché à côté d'elle, j'ai serré sa main brûlante. Elle s'est réveillée.

— Pourquoi tu pleures, Victor ?

— Pour rien, Marie. D'ailleurs je ne pleure pas.

— Tu sais, Victor, je voudrais retourner aux auto-tamponneuses avec toi...

— On mangera une pomme d'amour...

Elle m'a serré dans ses bras, et bientôt la fièvre est revenue. Je savais, maintenant, que c'était perdu. Même si on ne nous retrouvait pas avant le concours, Marie ne serait pas en mesure de jouer Jean-Sébastien, qui devait faire la grimace là-haut.

J'ai glissé dans un sommeil épais et je me suis mis à rêver du curé fou qui me poursuivait avec une seringue ; il voulait me prendre dans ses bras ; j'avais beau me débattre, mes gestes étaient mous et faibles. Heureusement, alors qu'il allait me saisir par le bras, papa est arrivé comme une apparition divine, traînant avec lui l'ambiance solennelle antique qui mettait à distance les malheurs et la fatalité.

— Ils n'ont vraiment pas l'air bien ! a dit papa en me soulevant de la couchette.

La bulle du rêve a éclaté. Dehors, il faisait grand jour, et il y avait des éclats de soleil partout dans la cabane. Haïçam et Lucky Luke s'occupaient de Marie. Je voyais qu'ils la forçaient à boire, l'un la soutenant dans le dos, l'autre lui portant un verre aux lèvres.

— Papa, comment tu as su, papa, comment ?

— J'ai reçu la visite des parents de Marie accompagnés des autorités du collège hier soir.

— Mais comment vous nous avez trouvés ici ?

— C'est moi qui ai eu l'idée d'aller interroger Haïçam. Vu le temps, on commençait à s'inquiéter… On n'a pas compris grand-chose à ce qu'il racontait. Il a commencé à nous parler d'un tournoi d'échecs de 1956… Finalement, on a tous été chercher Étienne et son frère. J'étais certain qu'ils auraient une idée… Étienne s'est souvenu de la cabane… Il est bizarre, d'ailleurs, ton copain. Il filerait un mauvais coton que ça ne m'étonnerait pas.

— C'est pas grave, j'ai dit, il est amoureux, alors tu vois, il s'arrange comme il peut avec les sentiments. Et la police, elle nous cherche aussi ?

— T'inquiète ! Je les ai envoyés valdinguer ailleurs… Tu as quand même de drôles de camarades, a soupiré papa.

— Et les parents de…

— Ils savent tout maintenant…

Papa a levé les yeux. J'ai suivi son regard.

Sur le palier de la porte restée ouverte se tenaient les parents de Marie et, entre eux, Étienne dans sa tenue de Dark Vador.

Foutu, j'ai pensé. Mat. Marie s'est tournée vers moi, nos regards se sont croisés et c'était comme si on se voyait.

Immobiles, le regard fixe et hostile, les parents de Marie posaient leurs yeux alternativement sur moi et sur leur fille. D'un seul coup le père de Marie, animé par un courant, s'est mis à rugir :

— Allez, maintenant on arrête cette comédie ! Direction la clinique ! On va te tirer de là, Marie. Non mais regardez-moi ce taudis !

Il balayait de la main l'ensemble de la cabane qui s'écroulait.

Marie a éclaté en sanglots. Comme habité par une énergie brutale, je me suis mis debout et j'ai hurlé :

— Non ! Non ! Pas l'hôpital ! Papa, c'est pas possible, tu peux pas les laisser faire… On a un concours à passer. Sinon vous pouvez nous laisser crever, c'est pareil.

— Un concours ? a demandé papa. Victor, qu'est-ce que tu me chantes ?

— Un concours de musique. De violoncelle, même. Regarde, il est là, le violoncelle. Et la convocation, là ! Moi, je tourne les pages. C'est pas si facile.

Le père de Marie a laissé échapper un gloussement à la fois plaintif, moqueur et menaçant.

— C'est pas bientôt fini, ces singeries ? il a crié.

Il s'est tourné dans ma direction et m'a désigné d'un doigt qui tremblait de colère.

— Toi... Toi... tu l'entraîneras pas plus loin ! Marie, tu te rends compte de jusqu'où tu l'as suivi ? Crois-moi, plus tard tu nous remercieras... Demain, on t'emmène visiter l'institut qui te donnera toutes les chances que tu mérites... En tout cas, on arrête les dégâts !

Accablée, Marie restait comme prostrée sur sa couchette, le dos contre la paroi, le visage dans ses bras croisés sur ses genoux.

Je crois que dans la vie on assiste tous à un quart d'heure miraculeux. Eh bien, pour moi, c'est à ce moment-là qu'il a eu lieu.

Tout doucement, comme vacillant sous son propre poids, mon cher Haïçam s'est levé de la couchette où il s'était assis. Ses grosses lunettes étaient embuées et ses petits yeux tout flous. Il s'est dirigé vers les parents de Marie presque jusqu'à les toucher de son ventre. Il leur a fait face sans rien dire, très calmement, sans aucune agressivité. Puis il a avancé son large visage tout près des leurs, et ainsi il les a invités à sortir de la cabane pour un petit entretien.

— Écoute, papa, j'ai dit, si tu nous conduis à l'école de musique, je te nettoie les culbuteurs tous les mois pendant dix ans. Et je te balaierai le Canada toutes les semaines. Si tu refuses, je ne me rase plus et tu auras un fils barbu. À treize ans, ce sera joli...

— D'abord faut que les parents de Marie changent d'avis...

— Pour ça, t'inquiète pas. Si Haïçam s'en mêle, c'est réglé par avance. Crois-moi, ils ne sont pas de taille. Ils ne font pas le poids du tout ! Le problème, c'est Marie. Faut trouver une solution pour la requinquer avant l'audition, parce que sinon on va la mettre dans un camp tout équipé contre son gré.

— C'est vrai qu'elle ne peut pas jouer comme ça ! a dit Lucky Luke.

Une de ses mains fourrageait dans sa masse de cheveux.

— Surtout du Jean-Sébastien, j'ai ajouté. C'est pas rien quand même !

Marie avait bien repris un peu de couleur, mais toussait toujours beaucoup et tremblotait de fièvre. Alors Lucky Luke, après avoir vérifié qu'Haïçam entretenait toujours ses parents dehors, nous a demandé de former un petit cercle autour de lui, en mettant son index sur ses lèvres pour inviter à la discrétion.

— Bon, j'ai une idée, mais c'est délicat. Très délicat. Normalement, demain, je participe à une course. À vélo, on prend souvent... comment dire...

des vitamines… pour être en forme… rien de bien dangereux…

Il semblait particulièrement gêné et me faisait penser aux élèves qui viennent s'expliquer dans son bureau. Il a continué :

— J'ai sur moi un flacon de ces… vitamines. Je devais les prendre dans quelques heures… On peut les lui donner, à elle, maintenant… ça lui permettra de tenir jusqu'à la fin du concours. Je peux lui faire l'injection moi-même… car j'ai aussi mon diplôme d'infirmier… j'ai tout le matériel ici…

— Je peux en avoir aussi ? a demandé à ce moment-là Dark Vador, d'une voix qui venait d'une galaxie lointaine.

— Non, a dit Lucky Luke, toi, tu n'y as pas droit. C'est pour les extrêmes urgences.

Il avait à peine terminé l'opération que les parents de Marie revenaient dans la cabane. Haïçam, lui, était resté dehors ; très calme, il avait aligné des pommes de pin au sol. Il jouerait aux échecs sur Mars, j'ai pensé.

Le temps s'est suspendu. On a tous gardé le silence.

— Marie, dépêche-toi ! Lève-toi et couvre-toi ! a dit son père.

Marie était comme tétanisée, incapable du moindre geste. On retenait tous notre souffle.

— Mais tu vas te lever, oui ou non ? il a repris. Tu crois qu'ils vont t'attendre ? C'est aujourd'hui ta chance. Il y a une petite fenêtre qui s'ouvre pour toi. Faut une grue pour te lever ?

J'ai souri, car c'était une expression que papa utilisait souvent.

On aurait dit qu'il allait se mettre à pleurer, son visage était tout déformé. Sa femme, elle, derrière, chialait tout à fait.

— D'ailleurs ça a l'air d'aller mieux ! C'est incroyable, il a remarqué.

— Elle est prête pour le sprint final, a dit Lucky Luke.

Mon regard s'est posé sur la convocation accrochée à un clou.

— Mais au fait il est quelle heure ? j'ai demandé.

— Pas loin de 10 h 30, a dit papa.

— ON FONCE ! on a tous hurlé en même temps.

Papa a attrapé le violoncelle et Marie a tâtonné un peu pour s'agripper à ma main.

On a traversé le bois en file indienne. Lucky Luke tenait à bout de bras le cintre qui portait la belle robe de gala de Marie et j'ai pensé qu'on avait l'air d'une bande de braconniers.

Je me suis dit que c'était un peu vrai, qu'on était en train de trafiquer avec le destin.

La Panhard et la grosse BM étaient garées en lisière du bois. Derrière, Lucky Luke avait laissé son vélo.

Marie s'est changée entre deux portes de la Panhard. Dans sa robe blanche un peu flottante, elle avait l'air d'une fée qui éclairait la forêt.

— Je monte avec Victor, elle a dit, c'est le fil, je ne le lâche pas.

Dark Vador est monté dans la BM avec les parents de Marie. Haïçam s'est placé à côté de moi sur la banquette arrière de la Panhard tandis que papa installait Marie à l'avant.

— Je vous suis ! a crié Lucky Luke, en enfourchant sa machine. N'essayez pas de me semer, vous n'y arriverez pas !

En conduisant, papa me regardait dans le rétroviseur, d'un air intrigué et préoccupé.

— Qu'est-ce qu'il y a, papa ? Pourquoi tu me regardes comme ça ?

— Tu ne t'es pas rasé depuis une semaine. Tu n'es plus très net.

Haïçam remplissait la Panhard de façon incroyable. Il semblait très calme, sans avoir conscience du miracle qu'il avait accompli.

— Mais qu'est-ce que tu as pu leur dire pour les retourner comme ça ? Comment est-ce que tu arrives à faire ça ?

Mon noble Égyptien a seulement soupiré comme si je l'embêtais. J'ai compris qu'il ne lâcherait rien.

— Franchement, t'es champion. C'est tout ce que je peux dire.

Derrière, Lucky Luke moulinait à toute allure et se penchait dans les virages. Tête baissée et sourcils froncés, il ne se laissait pas distancer.

*
**

Quand nous sommes arrivés, les premiers candidats étaient déjà passés, mais heureusement Marie figurait dans la deuxième partie du programme et on disposait d'encore un peu de temps.

On l'a laissée dans une salle pour qu'elle se concentre et se chauffe les doigts.

— Victor, t'oublies pas de me rejoindre dans cinq minutes : j'ai besoin de mon tourneur de page !

— Dans l'état où je suis ? Je ressemble à un sanglier.

— Je t'attends dans cinq minutes. Tu peux même venir à poil si tu veux ! elle a dit avant de disparaître dans la salle de répétition.

On s'est tous regardés éberlués. C'était drôle de l'entendre parler comme ça. Je me suis demandé si le produit de Lucky Luke n'agissait pas sur le vocabulaire.

— Tu vois, a dit papa, tu aurais dû te raser. Tu n'en fais qu'à ta tête, et voilà !

Les spectateurs de la première partie sont sortis à ce moment-là. Un employé nous a invités à entrer dans la salle. Haïçam avait l'air un peu triste. Il a fait un pas en arrière.

— Tu ne viens pas voir le spectacle ? je lui ai demandé.

— Bravo, petit maestro, il m'a simplement répondu.

310

Et puis il a voulu se diriger vers la sortie.

Je l'ai rattrapé en saisissant sa chemise à carreaux.

— Tu ne peux pas partir comme ça ! Pas aujourd'hui !

— Mais si ! Aujourd'hui… C'est shabbat.

— Tu nous cours avec ton shabbat à géométrie variable ! Regarde, tu es monté dans une voiture, tu as été dehors tout l'après-midi, et si ça se trouve, ce soir tu vas manger du saucisson en regardant la télé.

— Justement. Pas la peine d'aggraver la faute. Tu sais que Reshevsky refusait de jouer le samedi, et que pendant trente ans de carrière il a fait interrompre tous les tournois ?

J'ai haussé les épaules.

— Mais enfin, on s'en moque, de ton Reshevsky et de ses manies. Il faisait bien ce qu'il voulait ! Si ça l'amusait de se tourner les pouces le samedi !… Mais toi, Haïçam, toi, est-ce que tu as envie de partir ?

Il a paru gêné, et je crois que c'est la première et la seule fois que je l'ai mis mal à l'aise avec sa conscience.

— Envie ? Non, on ne peut pas dire ça. J'ai au contraire très envie de rester. Tu peux même pas imaginer !

Finalement, le moment est arrivé. On a appelé Marie et son tourneur de page. Je m'attendais à trembler du genou et à marquer la mesure en claquant des dents, mais au contraire un calme intersidéral m'avait

311

envahi, comme si le tranquille écoulement du temps avait entièrement pris possession de moi.

Dans la salle, j'ai aperçu papa à côté d'Haïçam et de Lucky Luke, et Dark Vador entre les parents de Marie. Le jury était installé à notre droite, légèrement en retrait.

Marie avait l'air ailleurs, elle ouvrait de grands yeux, comme hypnotisée.

Le public petit à petit a fait un silence qui s'est étalé comme une nappe. Un moment de vide. Marie tenait son archet quelques centimètres au-dessus des cordes. Je retenais mon souffle. J'ai jeté un coup d'œil très rapide vers papa, puis vers Haïçam qui débordait de son siège. Je l'ai vu qui levait sa grosse main, de façon tout à fait imperceptible ; il y avait dans ce petit geste qui m'était adressé toute la communication insaisissable entre les êtres. Et dans ces quelques secondes de vide, avant que l'archet s'écrase sur les cordes, tout m'est revenu en mémoire, dans une grande collision. Marie seule sur la route du village. Marie dans le train fantôme. La pomme d'amour. Marie à terre avec le chagrin dans le cœur. Les yeux de Marie. Les pas comptés de Marie.

La musique s'élevait au-dessus des têtes, planait dans la salle, intense, immatérielle et limpide. Je tournais les pages de temps en temps pour faire bonne figure. Même si je manquais de notions, j'ai compris que Marie jouait d'une manière particulière ce jour-là, dangereusement, comme en dérapant, au bord du vide. Nous aussi, nous avions enjambé le vide et l'obscurité au cours de cette année. Parfois l'archet ralentissait et on avait l'impression que la musique grimpait une côte, difficilement, jusqu'à l'essoufflement, et aussitôt après les notes en cascade passaient de l'autre côté du col en une cavalcade effrénée.

Mon cœur s'est mis à battre à toute allure, car je sentais que le plus petit grain de sable pouvait suffire à faire tomber Marie. Je la voyais de profil. Son visage était un peu luisant, ses cheveux autour volaient dans tous les sens.

Et puis elle a donné trois grands coups d'archet. Le silence s'est de nouveau installé. Le soleil à la sortie du labyrinthe. Très lentement, très doucement, Marie a levé l'archet de l'instrument. La mélodie filante et sinueuse continuait à tourner autour de nous. Et j'ai eu l'impression que les derniers échos de la musique disparaissaient avec ceux de l'enfance, tandis que se déclenchait le tonnerre des applaudissements.

Pendant qu'on attendait les résultats, dans un petit salon, Lucky Luke nous a dit que Marie lui avait fait penser à Bernard Hinault dans la descente du col du Lautaret lors de son dernier Tour de France, si rapide, toujours tellement au bord de la chute. Je n'avais pas les images dans la tête, forcément, mais je voyais bien ce qu'il voulait dire. Marie était avec nous, complètement épuisée. L'ampoule de Lucky Luke devait cesser de faire effet. Elle m'a dit :

— Tu as été formidable.

Je me suis dit qu'elle ne devait pas aller si mal que ça si elle avait encore la force de se moquer.

— Mais si, extraordinaire, je ne plaisante pas, je me demandais comment tu faisais…

— Mais quoi ?

— Eh bien, tu as tourné les quinze pages exactement aux moments où il le fallait. Tu as été extraordinaire !

Alors oui, après les résultats et la grande carrière que le jury très ému a promise à Marie, je me suis dit en montant dans la Panhard qu'elle avait sûrement raison : on ne réalise jamais tout à fait à quel point on est extraordinaire.

Ensuite la Panhard a démarré.

— Maintenant, faut te raser, a dit papa.

Édité par Librairie Générale Française – LPJ
(58, rue Jean-Bleuzen, 92170 Vanves)

Composition PCA
Achevé d'imprimer en Espagne par CPI
Dépôt légal 1ʳᵉ publication : avril 2017
16.7781.5 / 04 – ISBN : 978-2-01-203189-0
Loi n° 49-956 du 16 juillet 1949 sur les publications destinées à la jeunesse
Dépôt légal : janvier 2019